초등 연산의 기준

칸토의 연산

나눗셈구구,

(두 자리 수 × 한 자리 수)

머리말

“초등 입학 후 우리 아이가 해야 할 수학은?”

우리 아이가 초등학교에 처음 입학할 때의 모습이 떠오릅니다. 머리도 혼자 감지 못하는 아이가 벌써 초등학생이 되어 많은 아이들과 교실에서 생활한다니 대견스러우면서도 한편으론 ‘아이가 40분 수업 시간 동안 집중하며 앉아 있을 수 있을까? 소변이라도 보면 어떻게 하지?’ 등등 고민이 한가득이었지요.

기대 반 걱정 반으로 하루하루를 보내며 아이는 어느덧 별탈 없이 학교에 잘 적응하는 모습입니다. 걱정이 사라질 즈음 아이는 학교에서 생전 처음 단원 평가라는 시험을 보게 됩니다. 7살 때 100까지 막힘없이 세던 우리 아이라 당연히 100점을 맞았을 거라 생각했지만 아쉽게 한두 개 틀려 옵니다. ‘실수라고, 다음에 잘하겠지.’라고 넘겨 보지만 100점 맞기는 쉽지 않습니다. 혹시나 해서 “다른 친구들은 어떻게 봤니?”라고 물으면 “누구누구는 100점 맞았어!”라고 자기랑 상관없다는 듯이 무심코 하는 말에 마음이 무너집니다.

아차 싶어 이제부터 친구 엄마들에게 학원, 학습지 등 공부 정보를 수집하며 어떤 선택이 우리 아이에게 최선의 선택일지 갈등과 고민이 시작됩니다. 공부란 것을 제대로 해 보지 못했던 우리 아이는 자기랑 맞지 않는 공부를 부모의 계획에 따르며 어느 순간부터 부모와의 감정싸움이 시작됩니다. 부모님들이 초등 저학년에 많이 겪게 되는 고민거리입니다.

중학교에서 수학을 포기하는 아이들의 상당수가 초등 연산의 기초가 없어서라고 합니다. 자연수, 분수의 사칙연산을 어려워하는 아이들이 정수, 유리수의 사칙연산을 어려워하는 것은 당연합니다.

고등학교에서 수학을 포기하는 아이들의 상당수는 공부하는 습관이 몸에 배어 있지 않아서라고 합니다. 공부 계획을 세우고 공부하는 습관은 학교에서 따로 가르쳐주지 않습니다. 할 줄 아는 아이들만 공부 계획표를 꾸준히 작성하고 실천하지 나머지는 포기합니다. 단시간에 공부습관을 바로잡기는 시간이 너무 부족합니다.

그렇다면 우리 아이가 초등학생 때 해야 할 수학은 무엇일까요?

공부 습관과 수학에 대한 자신감을 기르는 것입니다. 그런데 이 둘은 모두 연산 학습으로 잡을 수 있습니다.

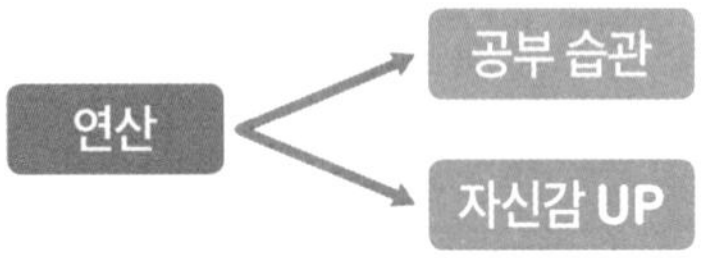

연산은 매일 꾸준히 지치지 않고 하는 것이 핵심입니다. 꾸준한 연산 학습은 연산 실력을 향상시킬 수 있을 뿐만 아니라 앞으로의 공부 습관과 태도를 형성할 수 있는 매우 중요한 학습 방법입니다. 처음에는 개념 위주로 연산의 정확도를 목표로 학습하고 꾸준히 연습하면 속도는 저절로 올라가니 처음부터 속도에 욕심내지 마세요. 그리고 연산 학습과 더불어 공부 시간을 10분, 20분, ……, 60분으로 늘려나가며 공부 체력을 길러 주세요.

연산을 잘하면 무엇이 좋을까요?

수업 시간에 대답도 잘하고 선생님께 칭찬을 받아 자신감이 올라갑니다. 또 아이는 잘하려는 마음이 생겨서 노력하게 되고 성취하게 되며 칭찬을 받게 되는 과정을 되풀이하여 결국 자신감을 넘어 자존감이 올라가게 됩니다.

또한 초등 저학년 수학 내용은 반 이상이 연산이라 연산을 잘하면 저학년 수학을 잘할 수 있습니다. 그리고 도형, 측정과 같은 다른 영역에서 넓이, 부피, 시간, 각도 등을 구할 때에도 연산이 중요하게 사용되므로 결국 수학을 잘한다는 것으로 이어집니다.

초등학교는 대학입시를 준비하는 단계가 아닙니다. 초반부터 무리하게 시작하는 것보다 아이에 맞게 공부 시간과 난이도를 조절해 보세요. 초등 공부 습관과 자신감은 중·고등 시기에 학업 성취를 높여 주는 발판이 될 것입니다. 나아가 하루하루 쌓여 끈기가 되고 인생을 살아가는 지혜가 될 것입니다.

“초등 6년 연산 학년별로 이것만은 꼭 알고 가요.”

학년별로 성취해야 할 연산 내용을 미리 살펴보고, 부족한 부분을 정리해 보세요.

자연수	학년	분수·소수
간단한 덧셈·뺄셈 9+3=12 　 11−5=6	1	
두 자리 수의 덧셈·뺄셈 65+17=82 73−59=14 곱셈구구 2의 단 ~ 9의 단	2	
세 자리 수의 덧셈·뺄셈 257+168=425 614−269=345 두·세 자리 수의 곱셈·나눗셈 24×38=912 258÷4=64⋯2	3	「분수와 소수의 개념」
세 자리 수의 곱셈·나눗셈 347×52 =18044 724÷26 =27⋯22	4	분모가 같은 분수의 덧셈·뺄셈 $\frac{3}{5}+\frac{4}{5}=1\frac{2}{5}$ 소수 두 자리 수의 덧셈·뺄셈 2.03+3.78 =5.81
자연수의 혼합 계산 27÷3+(12−4)×5=49	5	분모가 다른 분수의 덧셈·뺄셈 $\frac{3}{4}+\frac{1}{6}=\frac{11}{12}$ 분수·소수의 곱셈 $\frac{2}{3}\times\frac{5}{8}=\frac{5}{12}$ 1.25×1.2=1.5
	6	분수·소수의 나눗셈 $\frac{2}{5}\div\frac{4}{7}=\frac{7}{10}$ 9.72÷2.7=3.6

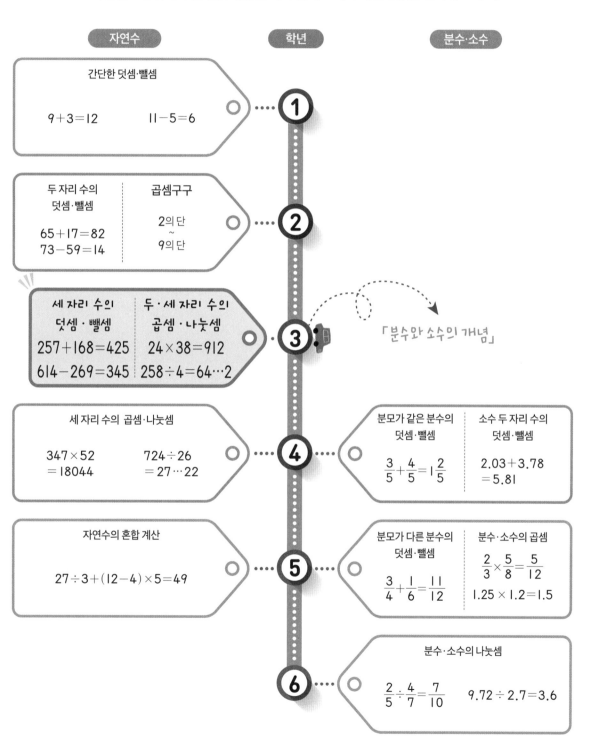

단계별 구성

칸토의 연산 시리즈

- 연산의 원리부터 재미있는 퍼즐형 문제까지 다루는 기본 난이도의 연산 교재
- 나선형 반복 학습과 확장 커리큘럼
- [칸토의 연산] ➡ [응용 연산]으로 이어지는 기본·심화 연산 학습 설계
- 단계별 4권, 9단계 총 36권 구성
- 한 단계 4개월 완성
- 학년별 교과서 진도와 맞춤 병행

이 책의 구성과 특징

- 하루 2쪽, 매주 5일씩 4주 동안 완성하는 연산 프로그램이에요.
- 연령별 아이의 학습 눈높이와 학습 체력에 맞게 쉬운 난이도와 하루 10분 정도의 학습 분량으로 구성하였어요.

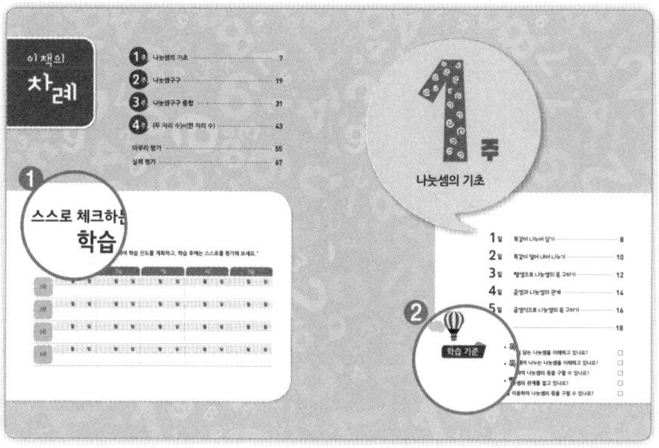

1 학습 안내 무엇을 공부할까요?

❶ 스스로 학습 진도를 계획하고 실천해 보세요.

❷ 이번 주에 꼭 알아야 할 학습 기준을 체크해요. 공부 전에 간단히 살펴보고, 한 주 공부가 끝나면 공부한 내용을 잘 알고 있는지 반드시 확인해 보세요.

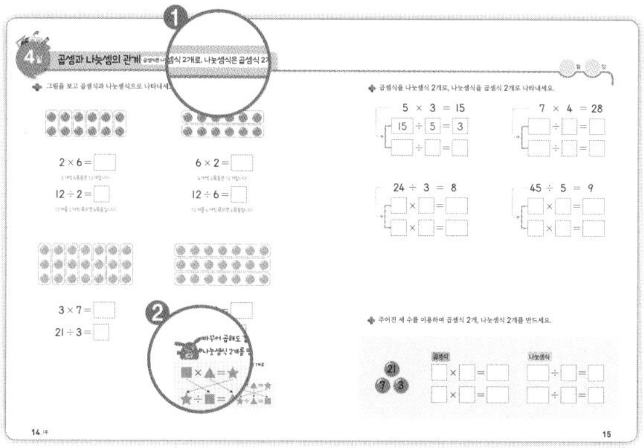

2 일일 학습 매주 5일씩 4주 동안 공부해요.

❶ 일일 학습 목표를 효율적으로 달성하기 위한 학습 목표 및 노하우를 담았어요. 무엇을 공부하는지 미리 알고 가는 공부는 목표 달성률이 훨씬 높답니다.

❷ 연산의 개념, 원리뿐만 아니라 궁금증을 해결할 수 있는 학습 노하우를 꼭 확인하세요.

3 확인 학습

이번 주 배운 내용을 잘 알고 있나요?

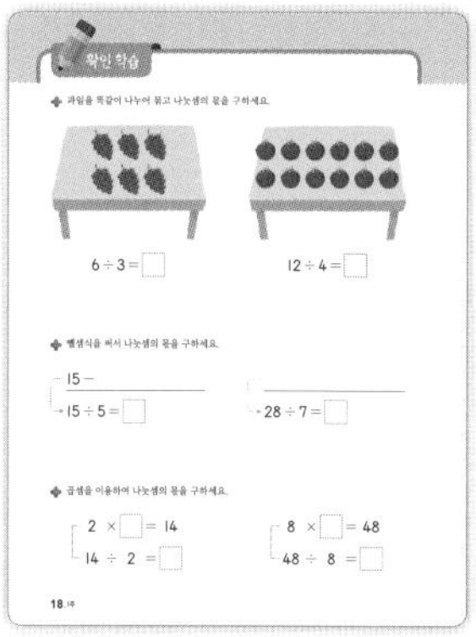

4 마무리 평가+실력 평가

4주 동안 배운 내용을 잘 알고 있나요?

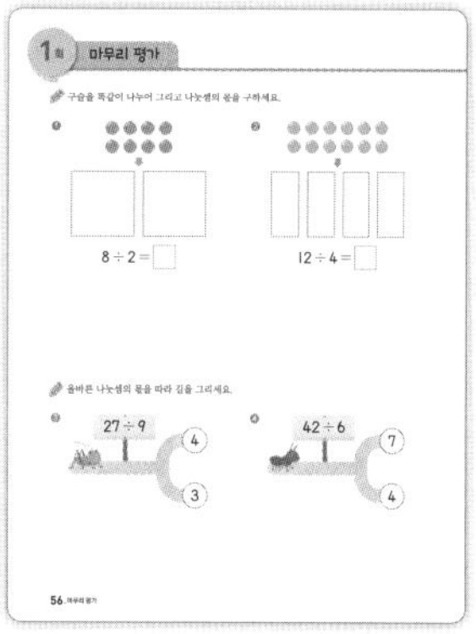

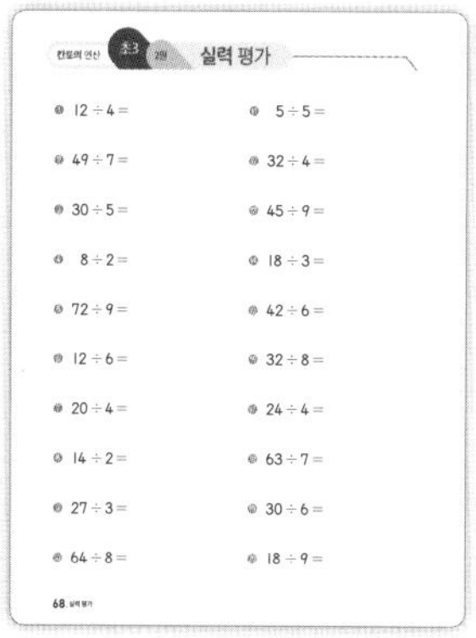

이 책의 차례

스스로 체크하는 학습 진도표

"일일 학습을 시작하기 전에 날짜를 기록하여 학습 진도를 계획하고, 학습 후에는 스스로를 평가해 보세요."

	1일	2일	3일	4일	5일
1주	월 일	월 일	월 일	월 일	월 일
2주	월 일	월 일	월 일	월 일	월 일
3주	월 일	월 일	월 일	월 일	월 일
4주	월 일	월 일	월 일	월 일	월 일

1주

나눗셈의 기초

학습 기준

- 똑같이 나누어 담는 나눗셈을 이해하고 있나요? ☐
- 똑같이 덜어 내어 나누는 나눗셈을 이해하고 있나요? ☐
- 뺄셈을 이용하여 나눗셈의 몫을 구할 수 있나요? ☐
- 곱셈과 나눗셈의 관계를 알고 있나요? ☐
- 곱셈식을 이용하여 나눗셈의 몫을 구할 수 있나요? ☐

1일 똑같이 나누어 담기

한 접시(묶음)에 들어 있는 빵의 수가 나눗셈의 몫이야.

빵을 각 접시에 똑같이 나누어 ◯로 그리고 빈칸에 알맞은 수를 쓰세요.

빵 6개를 접시 2개에 똑같이 나누어 담기

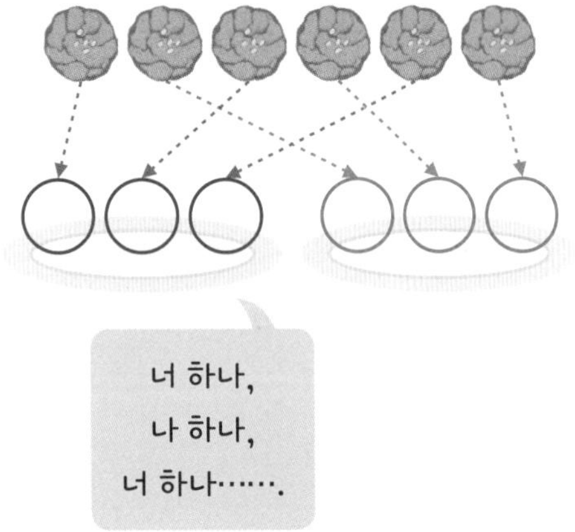

한 접시에 3 개씩

나누어 담을 수 있습니다.

나눗셈식 $6 \div 2 = 3$

(나누어지는 수)(나누는 수) (몫)

읽기 6 나누기 2는 3과 같습니다.

빵 6개를 접시 3개에 똑같이 나누어 담기

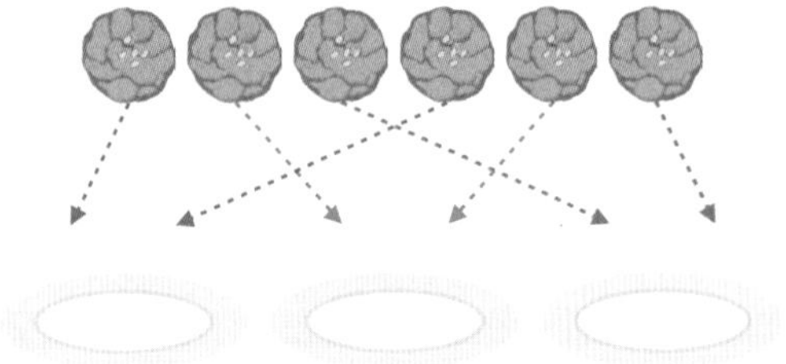

한 접시에 □ 개씩

나누어 담을 수 있습니다.

➡ □ ÷ □ = □

(빵의 수) (접시의 수) (한 접시에 담을 수 있는 빵의 수)

빵 8개를 접시 2개에 똑같이 나누어 담기

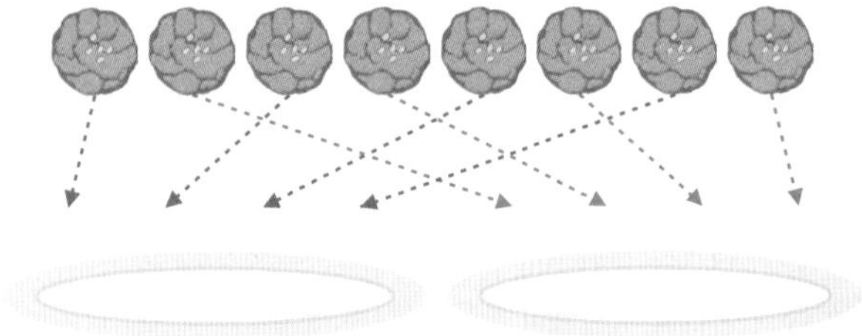

한 접시에 □ 개씩

나누어 담을 수 있습니다.

➡ □ ÷ □ = □

✚ 구슬을 똑같이 나누어 그리고 나눗셈의 몫을 구하세요.

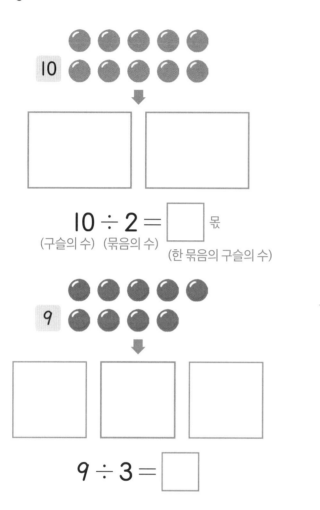

10
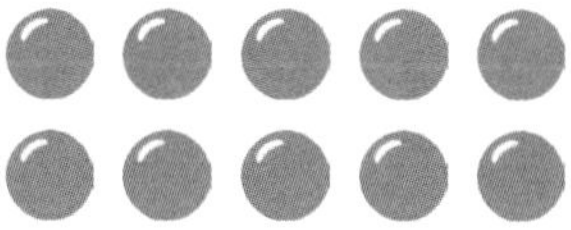

$10 \div 2 = \square$ 몫

(구슬의 수) (묶음의 수) (한 묶음의 구슬의 수)

8

$8 \div 4 = \square$

9
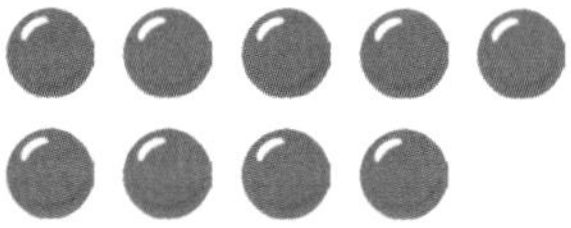

$9 \div 3 = \square$

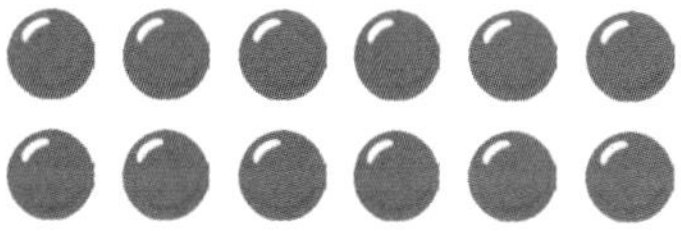
12

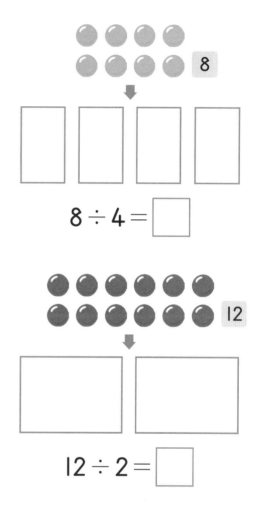

$12 \div 2 = \square$

✚ 다음을 읽고 나눗셈식으로 나타내세요.

18 나누기 6은 3과 같습니다.

$\square \div \square = \square$

나누어지는 수: 36, 나누는 수: 4, 몫: 9

$\square \div \square = \square$

사과 20개를 5명이 똑같이 나누어 먹으면 한 명이 사과를 4개씩 먹을 수 있습니다.

$\square \div \square = \square$

똑같이 덜어 내어 나누기

전체 묶음의 수가 나눗셈의 몫이야.
똑같이 묶음으로 덜어낸 횟수와도 같아.

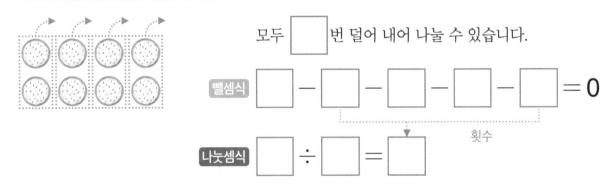

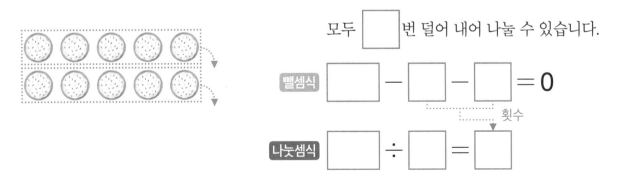

✚ 그림을 보고 빈칸에 알맞은 수를 써서 나눗셈을 하세요.

빵 6개를 2개씩 덜어 내어 나누기

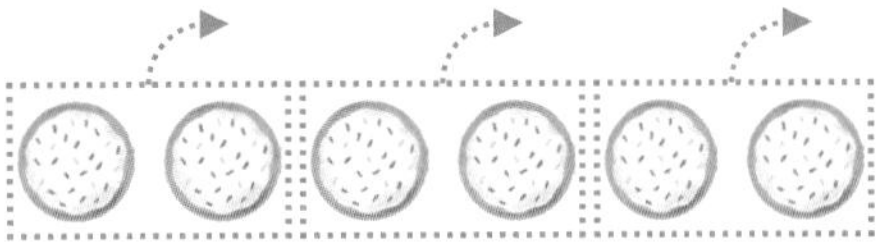

모두 $\boxed{3}$ 번 덜어 내어 나눌 수 있습니다.

뺄셈식 $\boxed{6} - \boxed{2} - \boxed{2} - \boxed{2} = 0$

횟수

나눗셈식 $\boxed{6} \div \boxed{2} = \boxed{3}$

빵 8개를 2개씩 덜어 내어 나누기

모두 $\boxed{}$ 번 덜어 내어 나눌 수 있습니다.

뺄셈식 $\boxed{} - \boxed{} - \boxed{} - \boxed{} - \boxed{} = 0$

횟수

나눗셈식 $\boxed{} \div \boxed{} = \boxed{}$

빵 10개를 5개씩 덜어 내어 나누기

모두 $\boxed{}$ 번 덜어 내어 나눌 수 있습니다.

뺄셈식 $\boxed{} - \boxed{} - \boxed{} = 0$

횟수

나눗셈식 $\boxed{} \div \boxed{} = \boxed{}$

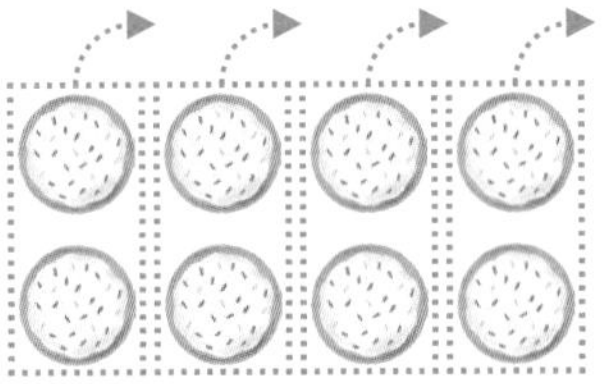

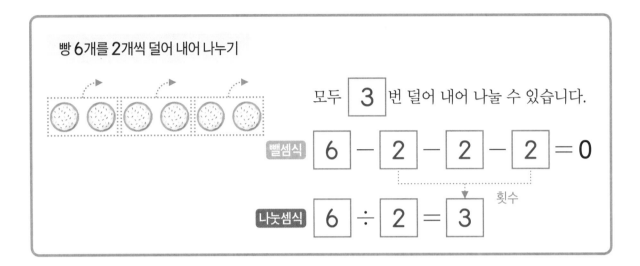

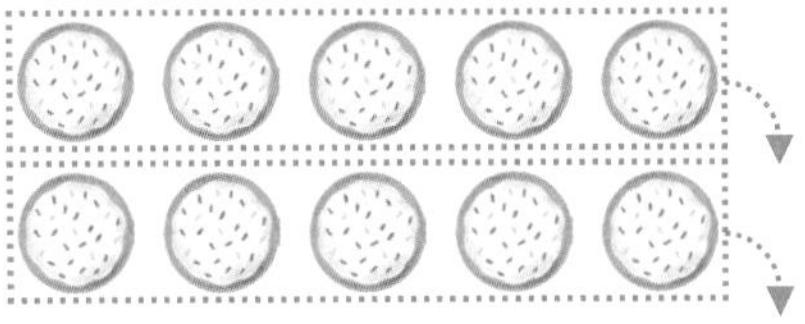

➕ 과일을 똑같이 묶어 나누고 나눗셈의 몫을 구하세요.

4개씩 2봉지면 되겠네.

$8 \div 4 = \boxed{}$

8을 4씩 묶으면 2묶음이 돼요.

$10 \div 2 = \boxed{}$

10을 2씩 묶으면 ☐묶음이 돼요.

$12 \div 3 = \boxed{}$

$8 \div 2 = \boxed{}$

뺄셈으로 나눗셈의 몫 구하기 나눗셈의 몫은 같은 수를 0이 될 때까지 여러 번 뺀 횟수야.

♣ 뺄셈을 하여 나눗셈의 몫을 구하세요.

12에서 4를
몇 번 빼면 0이 돼?

묶음의 수와 같은
개념이야. 12에는
4가 3 묶음 있지.

| 12 | 8 | | |

-4　　-4　　-4

1번　　2번　　3번

➡ $12 \div 4 =$ ☐

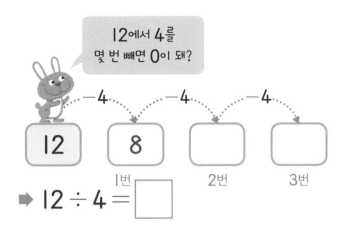

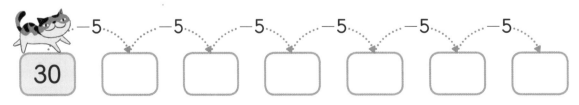

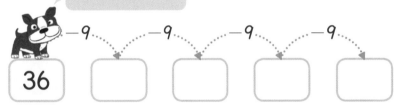

36에서 9를
몇 번 빼면 0이 돼?

| 36 | | | | |

-9　　-9　　-9　　-9

➡ $36 \div 9 =$ ☐

30에서 5를
몇 번 빼면 0이 돼?

| 30 | | | | | | |

-5　　-5　　-5　　-5　　-5　　-5

➡ $30 \div 5 =$ ☐

뺄셈식을 나눗셈식으로 알맞게 나타낸 것에 ○표 하세요.

$15-3-3-3-3-3=0$
- $3 \div 15=5$
- $15 \div 3=5$

$18-6-6-6=0$
- $18 \div 6=4$
- $18 \div 6=3$

$14-7-7=0$
- $14 \div 7=2$
- $14 \div 2=7$

뺄셈식을 써서 나눗셈의 몫을 구하세요.

$24-8-8-8=0$

$24 \div 8=$ 3

24에서 8을 3번 빼면 0이 돼요.

______

$12 \div 2=$ □

______

$20 \div 5=$ □

______

$35 \div 7=$ □

➕ 그림을 보고 곱셈식과 나눗셈식으로 나타내세요.

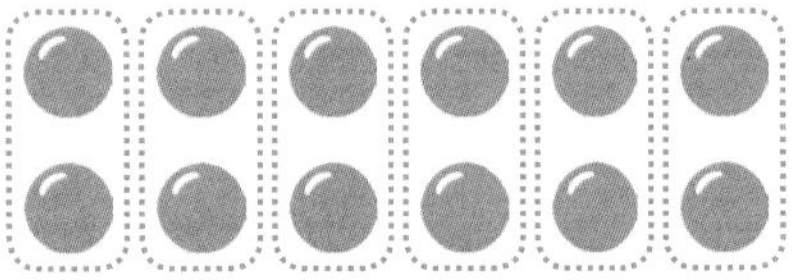

$$2 \times 6 = \boxed{}$$

2개씩 6묶음은 12개입니다.

$$12 \div 2 = \boxed{}$$

12개를 2개씩 묶으면 6묶음입니다.

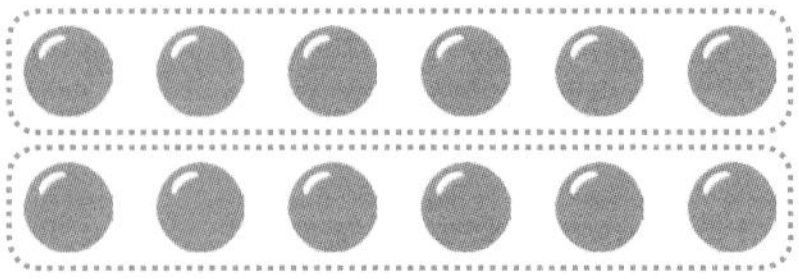

$$6 \times 2 = \boxed{}$$

6개씩 2묶음은 12개입니다.

$$12 \div 6 = \boxed{}$$

12개를 6개씩 묶으면 2묶음입니다.

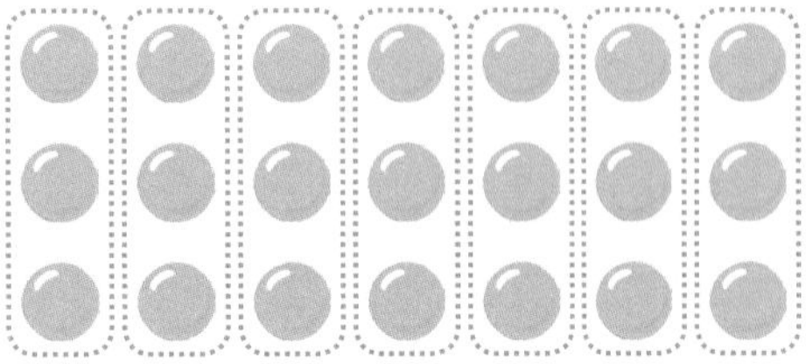

$$3 \times 7 = \boxed{}$$

$$21 \div 3 = \boxed{}$$

$$7 \times 3 = \boxed{}$$

$$21 \div 7 = \boxed{}$$

바꾸어 곱해도 같으니까 곱셈식 1개로
나눗셈식 2개를 만들 수 있어.

$$\blacksquare \times \blacktriangle = \bigstar \qquad \blacksquare \times \blacktriangle = \bigstar$$

$$\bigstar \div \blacksquare = \blacktriangle \qquad \bigstar \div \blacktriangle = \blacksquare$$

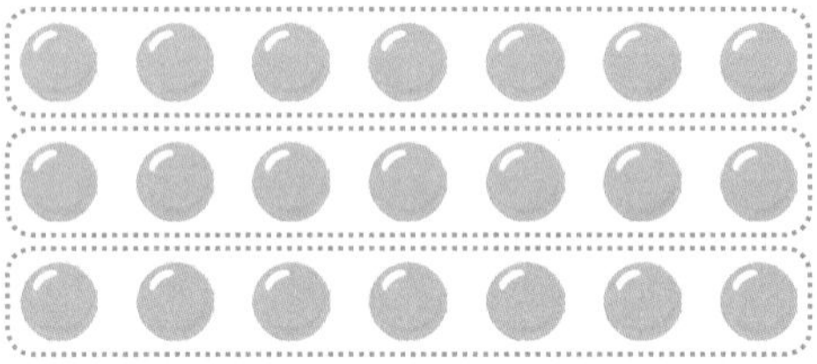

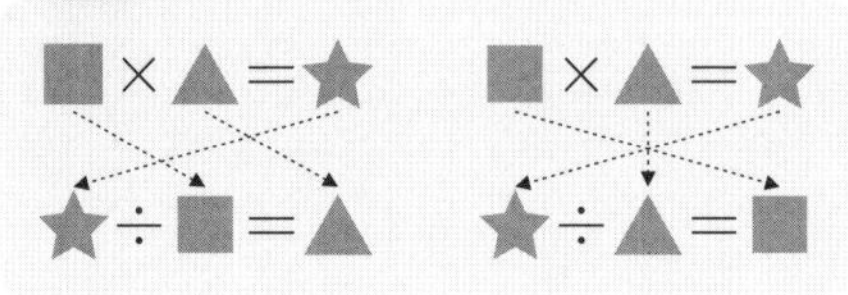

➕ 곱셈식을 나눗셈식 2개로, 나눗셈식을 곱셈식 2개로 나타내세요.

$$5 \times 3 = 15$$

$$\boxed{15} \div \boxed{5} = \boxed{3}$$
$$\boxed{} \div \boxed{} = \boxed{}$$

$$7 \times 4 = 28$$

$$\boxed{} \div \boxed{} = \boxed{}$$
$$\boxed{} \div \boxed{} = \boxed{}$$

$$24 \div 3 = 8$$

$$\boxed{} \times \boxed{} = \boxed{}$$
$$\boxed{} \times \boxed{} = \boxed{}$$

$$45 \div 5 = 9$$

$$\boxed{} \times \boxed{} = \boxed{}$$
$$\boxed{} \times \boxed{} = \boxed{}$$

➕ 주어진 세 수를 이용하여 곱셈식 2개, 나눗셈식 2개를 만드세요.

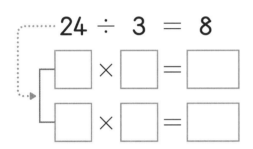

21　7　3

곱셈식

$$\boxed{} \times \boxed{} = \boxed{}$$
$$\boxed{} \times \boxed{} = \boxed{}$$

나눗셈식

$$\boxed{} \div \boxed{} = \boxed{}$$
$$\boxed{} \div \boxed{} = \boxed{}$$

➕ 곱셈을 이용하여 나눗셈의 몫을 구하세요.

곱하는 수

$$3 \times \boxed{4} = 12$$

$$12 \div 3 = \boxed{4}$$

나눗셈의 몫은 곱셈식에서 곱하는 수야.

$$7 \times \square = 35$$

$$35 \div 7 = \square$$

$$4 \times \square = 24$$

$$24 \div 4 = \square$$

$$9 \times \square = 27$$

$$27 \div 9 = \square$$

$$6 \times \square = 42$$

$$42 \div 6 = \square$$

$$8 \times \square = 40$$

$$40 \div 8 = \square$$

우린 어떤 관계야?

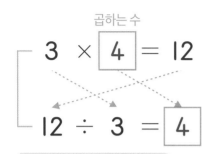

덧셈과 뺄셈, 곱셈과 나눗셈의 관계를 비교해 봐.

$$5 + \square = 8 \qquad 6 \times \square = 24$$

$$8 - 5 = \square \qquad 24 \div 6 = \square$$

관계있는 것끼리 선으로 이으세요.

$18 \div 6 = \square$	$5 \times \square = 10$	8
$10 \div 5 = \square$	$4 \times \square = 20$	3
$36 \div 6 = \square$	$6 \times \square = 18$	2
$20 \div 4 = \square$	$9 \times \square = 72$	6
$72 \div 9 = \square$	$6 \times \square = 36$	5

확인 학습

과일을 똑같이 나누어 묶고 나눗셈의 몫을 구하세요.

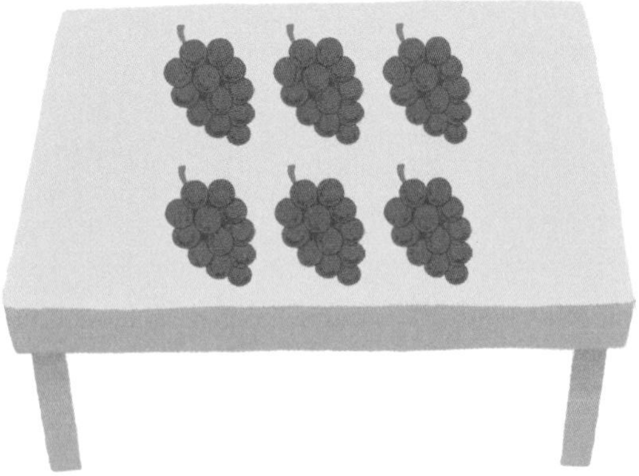

$6 \div 3 = \square$

$12 \div 4 = \square$

뺄셈식을 써서 나눗셈의 몫을 구하세요.

$15 -$ ____________________

$15 \div 5 = \square$

____

$28 \div 7 = \square$

곱셈을 이용하여 나눗셈의 몫을 구하세요.

$2 \times \square = 14$

$14 \div 2 = \square$

$8 \times \square = 48$

$48 \div 8 = \square$

2주

나눗셈구구

학습 기준

- 2, 3단 나눗셈구구를 잘 할 수 있나요? ☐
- 4, 5단 나눗셈구구를 잘 할 수 있나요? ☐
- 6, 7단 나눗셈구구를 잘 할 수 있나요? ☐
- 8, 9단 나눗셈구구를 잘 할 수 있나요? ☐

2, 3단 나눗셈구구 2, 3단 곱셈구구를 이용하는 나눗셈이야.

➕ 2단, 3단 곱셈구구를 이용하여 나눗셈을 하세요.

2단

$8 \div 2 = \boxed{4}$

$2 \times \boxed{4} = 8$

$14 \div 2 = \boxed{}$

$10 \div 2 = \boxed{}$

$12 \div 2 = \boxed{}$

$2 \times \boxed{} = 12$

$2 \div 2 = \boxed{}$

$18 \div 2 = \boxed{}$

$4 \div 2 = \boxed{}$

$2 \times \boxed{} = 4$

$6 \div 2 = \boxed{}$

$16 \div 2 = \boxed{}$

3단

$6 \div 3 = \boxed{}$

$3 \times \boxed{2} = 6$

$3 \div 3 = \boxed{}$

$27 \div 3 = \boxed{}$

$15 \div 3 = \boxed{}$

$3 \times \boxed{} = 15$

$21 \div 3 = \boxed{}$

$9 \div 3 = \boxed{}$

$12 \div 3 = \boxed{}$

$3 \times \boxed{} = 12$

$18 \div 3 = \boxed{}$

$24 \div 3 = \boxed{}$

➕ 올바른 나눗셈의 몫을 따라 길을 그리세요.

➕ 빈칸에 알맞은 수를 쓰세요.

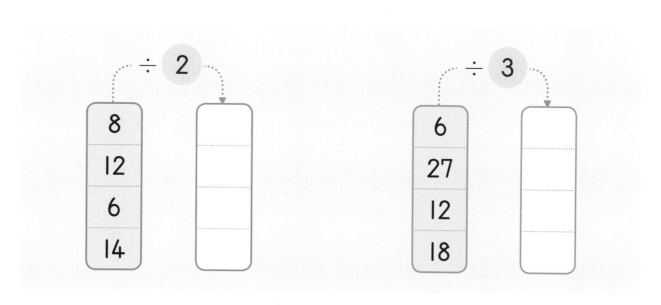

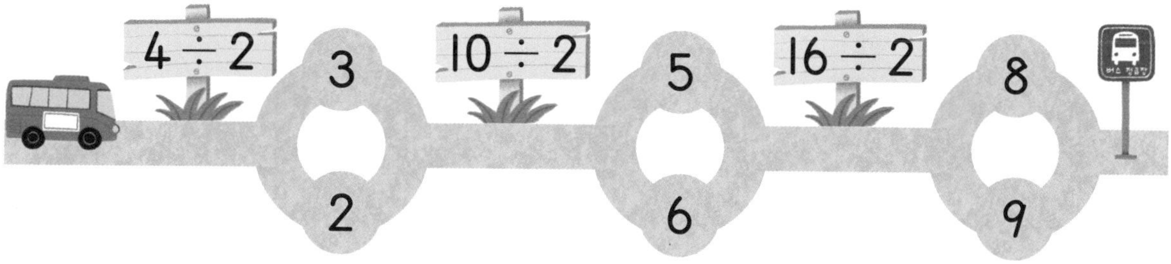

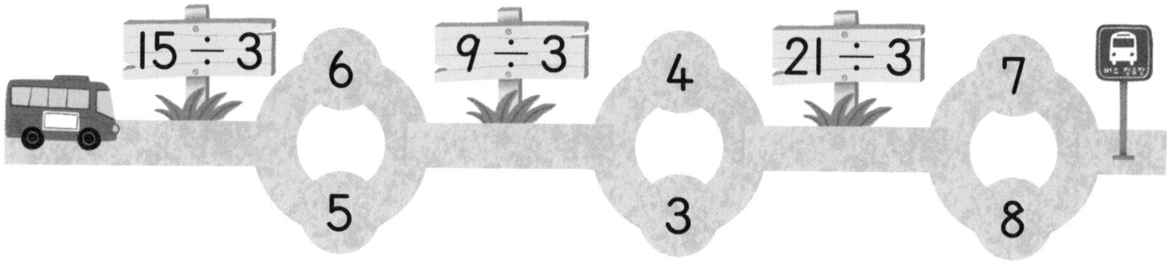

4, 5단 나눗셈구구

도 곱셈구구처럼 바로 답할 수 있게 외워야 해.

➕ 4단, 5단 곱셈구구를 이용하여 나눗셈을 하세요.

4단

$12 \div 4 = \boxed{3}$

$4 \times \boxed{3} = 12$

$8 \div 4 = \boxed{}$

$4 \div 4 = \boxed{}$

$4 \times \boxed{} = 4$

$28 \div 4 = \boxed{}$

$16 \div 4 = \boxed{}$

$4 \times \boxed{} = 16$

$20 \div 4 = \boxed{}$

$36 \div 4 = \boxed{}$

$24 \div 4 = \boxed{}$

$32 \div 4 = \boxed{}$

5단

$20 \div 5 = \boxed{}$

$5 \times \boxed{4} = 20$

$35 \div 5 = \boxed{}$

$25 \div 5 = \boxed{}$

$5 \times \boxed{} = 25$

$15 \div 5 = \boxed{}$

$10 \div 5 = \boxed{}$

$5 \times \boxed{} = 10$

$40 \div 5 = \boxed{}$

$5 \div 5 = \boxed{}$

$45 \div 5 = \boxed{}$

$30 \div 5 = \boxed{}$

나눗셈의 몫을 찾아 선으로 이으세요.

÷4

12	20	8	36	24
2	6	5	3	9

÷5

25	20	35	40	15
4	5	8	3	7

빈칸에 알맞은 수를 쓰세요.

들어가는 수	28	45	□
나눗셈	÷4	÷5	÷4
나오는 수	□	□	4

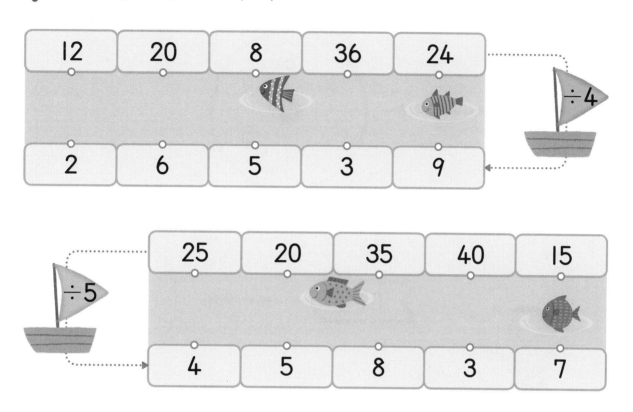

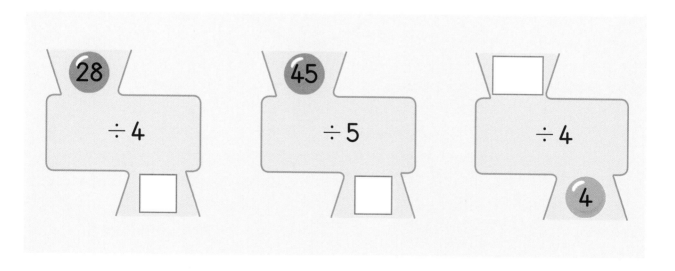

2, 3, 4, 5단 나눗셈구구 연습

나눗셈을 세로셈으로도 연습해 보자.

✤ 알맞은 나눗셈의 몫을 찾아 ◯표 하세요.

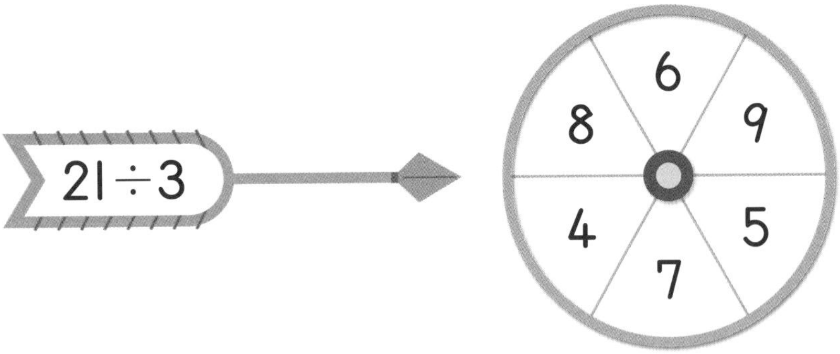
21÷3
6
8
9
4
5
7

10÷2=?
2단 나눗셈구구야.

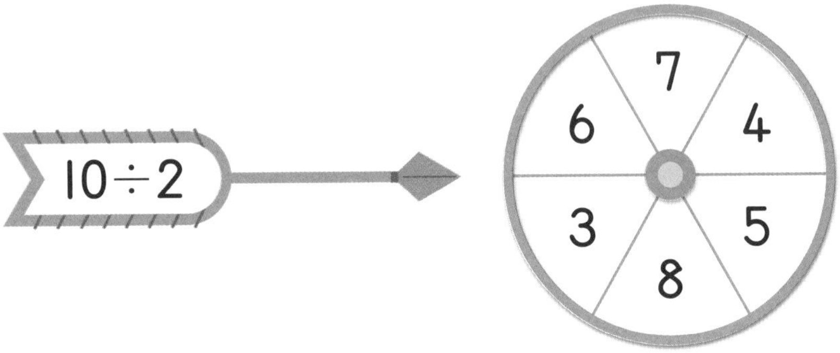
10÷2
7
6
4
3
5
8

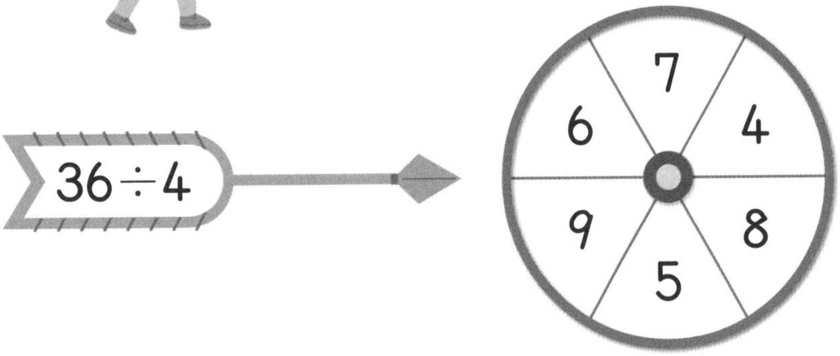
36÷4
7
6
4
9
8
5

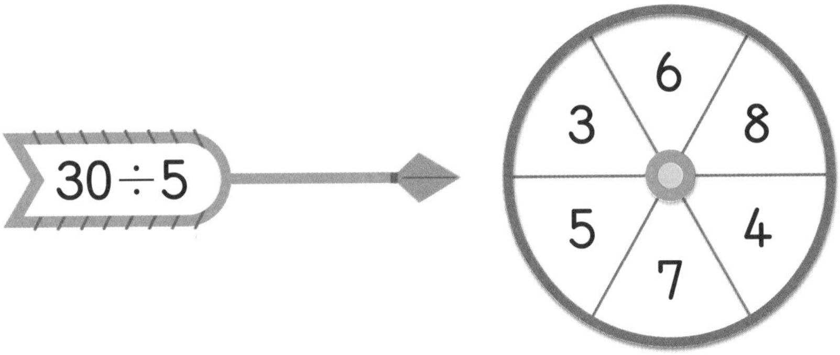
30÷5
6
3
8
5
4
7

세로셈으로 나눗셈을 하세요.

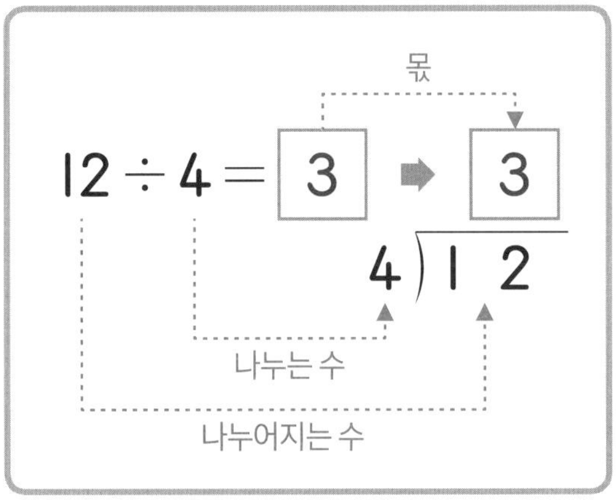

$12 \div 4 = \boxed{3}$ ➡ 몫 $\boxed{3}$

$4\overline{)12}$

나누는 수
나누어지는 수

$2\overline{)12}$ $\boxed{}$

$4\overline{)20}$ $\boxed{}$

$5\overline{)15}$ $\boxed{}$

$3\overline{)24}$ $\boxed{}$

몫은 나누어지는 수의
일의 자리에 맞춰 써.

$2\overline{)18}$ $\boxed{}$

$3\overline{)18}$ $\boxed{}$

$4\overline{)28}$ $\boxed{}$

가로셈을 세로셈으로 바꾸어 나눗셈을 하세요.

$16 \div 2$

$35 \div 5$

$27 \div 3$

6, 7단 나눗셈구구

나눗셈구구가 아직 어렵니? 곱셈구구를 잘 외웠는지 다시 확인해 봐.

✚ 6단, 7단 곱셈구구를 이용하여 나눗셈을 하세요.

6단

$12 \div 6 = \boxed{2}$ ($6 \times \boxed{2} = 12$)

$30 \div 6 = \square$ ($6 \times \square = 30$)

$24 \div 6 = \square$ ($6 \times \square = 24$)

$36 \div 6 = \square$

$18 \div 6 = \square$

$54 \div 6 = \square$

$6 \div 6 = \square$

$48 \div 6 = \square$

$42 \div 6 = \square$

7단

$21 \div 7 = \square$ ($7 \times \boxed{3} = 21$)

$7 \div 7 = \square$ ($7 \times \square = 7$)

$42 \div 7 = \square$ ($7 \times \square = 42$)

$14 \div 7 = \square$

$56 \div 7 = \square$

$35 \div 7 = \square$

$63 \div 7 = \square$

$28 \div 7 = \square$

$49 \div 7 = \square$

빈칸에 알맞은 수를 쓰세요.

÷	30	12	48	36
6				

÷	21	49	35	56
7				

나눗셈에 맞게 길을 그리세요.

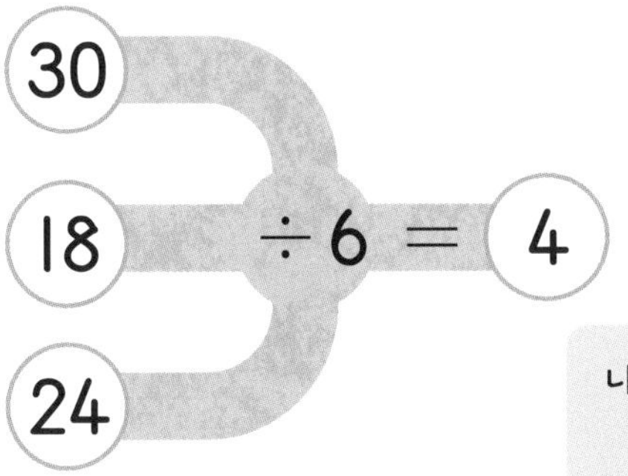

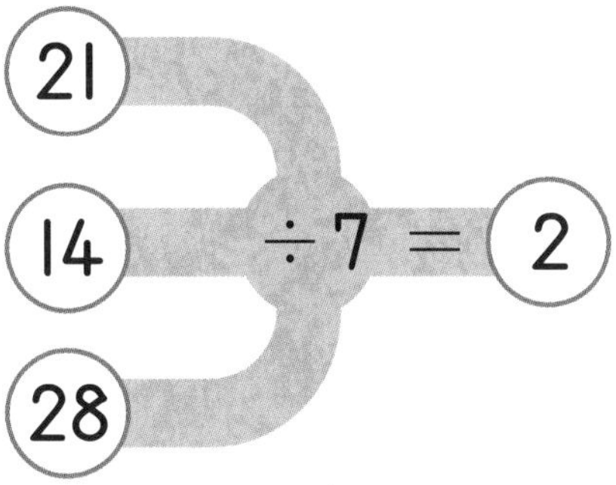

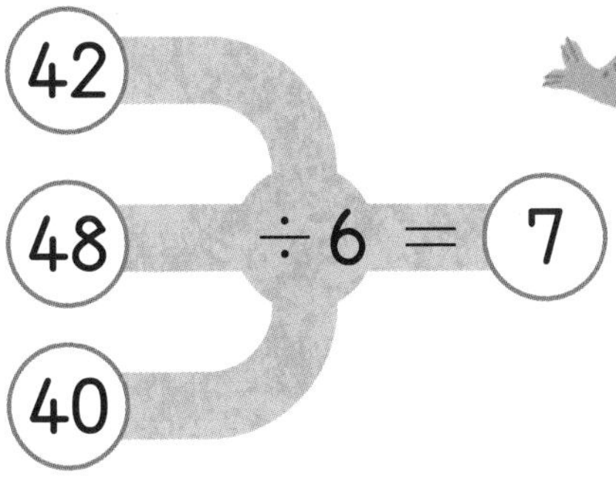

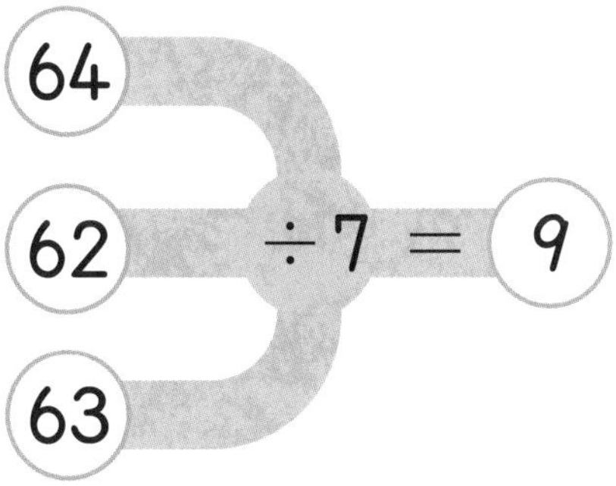

5일 **8, 9단 나눗셈구구** 나눗셈구구를 잘 해야 더 큰 수의 나눗셈을 잘 할 수 있어.

➕ 8단, 9단 곱셈구구를 이용하여 나눗셈을 하세요.

8단

$40 \div 8 = \boxed{5}$
$8 \times \boxed{5} = 40$

$16 \div 8 = \boxed{}$
$8 \times \boxed{} = 16$

$56 \div 8 = \boxed{}$
$8 \times \boxed{} = 56$

$24 \div 8 = \boxed{}$

$72 \div 8 = \boxed{}$

$32 \div 8 = \boxed{}$

$64 \div 8 = \boxed{}$

$8 \div 8 = \boxed{}$

$48 \div 8 = \boxed{}$

9단

$54 \div 9 = \boxed{}$
$9 \times \boxed{6} = 54$

$27 \div 9 = \boxed{}$
$9 \times \boxed{} = 27$

$72 \div 9 = \boxed{}$
$9 \times \boxed{} = 72$

$18 \div 9 = \boxed{}$

$63 \div 9 = \boxed{}$

$36 \div 9 = \boxed{}$

$9 \div 9 = \boxed{}$

$45 \div 9 = \boxed{}$

$81 \div 9 = \boxed{}$

➕ 같은 조각을 찾아 빈칸에 나눗셈의 몫을 쓰세요.

➕ 관계있는 것끼리 선으로 이으세요.

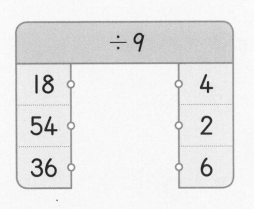

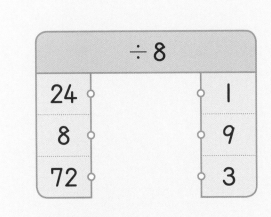

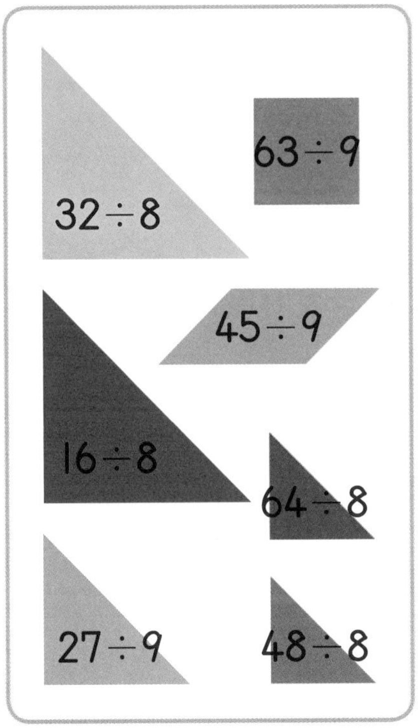

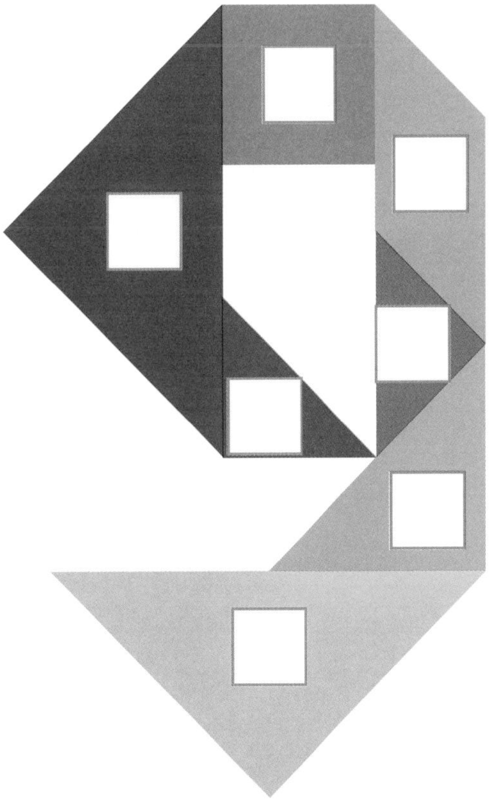

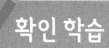

확인 학습

올바른 나눗셈의 몫을 따라 길을 그리세요.

빈칸에 알맞은 수를 쓰세요.

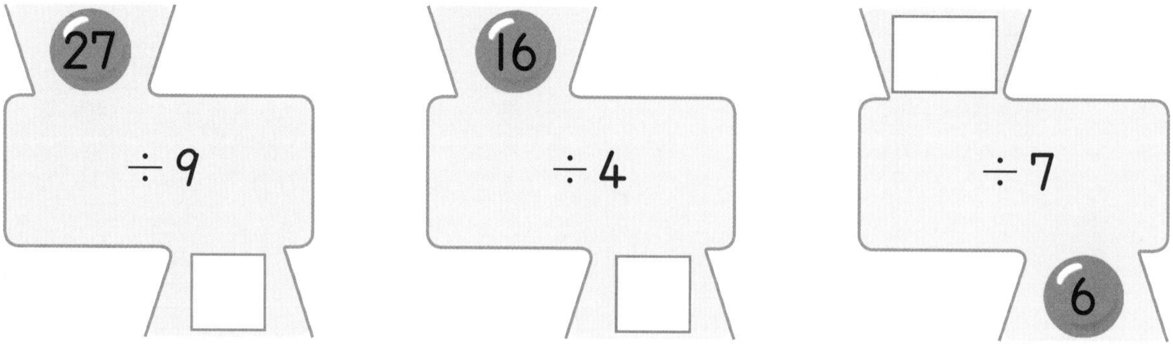

나눗셈을 하세요.

$32 \div 8 = \square$　　$18 \div 3 = \square$　　$14 \div 7 = \square$

$18 \div 2 = \square$　　$42 \div 6 = \square$　　$36 \div 4 = \square$

3주

나눗셈구구 종합

학습 기준

- 2단부터 9단까지의 나눗셈구구를 잘 할 수 있나요? □
- 1개의 길이와 무게를 구할 때 나눗셈구구를 이용할 수 있나요? □
- 곱셈구구와 나눗셈구구를 이용하여 퍼즐을 해결할 수 있나요? □
- □가 있는 나눗셈식에서 □를 구할 수 있나요? □

1일 6, 7, 8, 9단 나눗셈구구 연습 4개의 단을 섞어서도 잘 할 수 있어야 해.

♣ 알맞은 나눗셈식을 따라 미로를 탈출하세요.

출발

$24 \div 8 = 4$ $52 \div 6 = 7$ $14 \div 7 = 4$

$28 \div 7 = 4$ $30 \div 6 = 5$ $63 \div 9 = 7$ $52 \div 6 = 9$

$40 \div 8 = 6$ $36 \div 9 = 3$ $14 \div 7 = 2$ $45 \div 7 = 5$

$48 \div 6 = 8$ $16 \div 8 = 2$ $81 \div 9 = 9$ $54 \div 8 = 7$

$63 \div 7 = 9$ $48 \div 8 = 7$ $70 \div 9 = 8$ $54 \div 6 = 9$

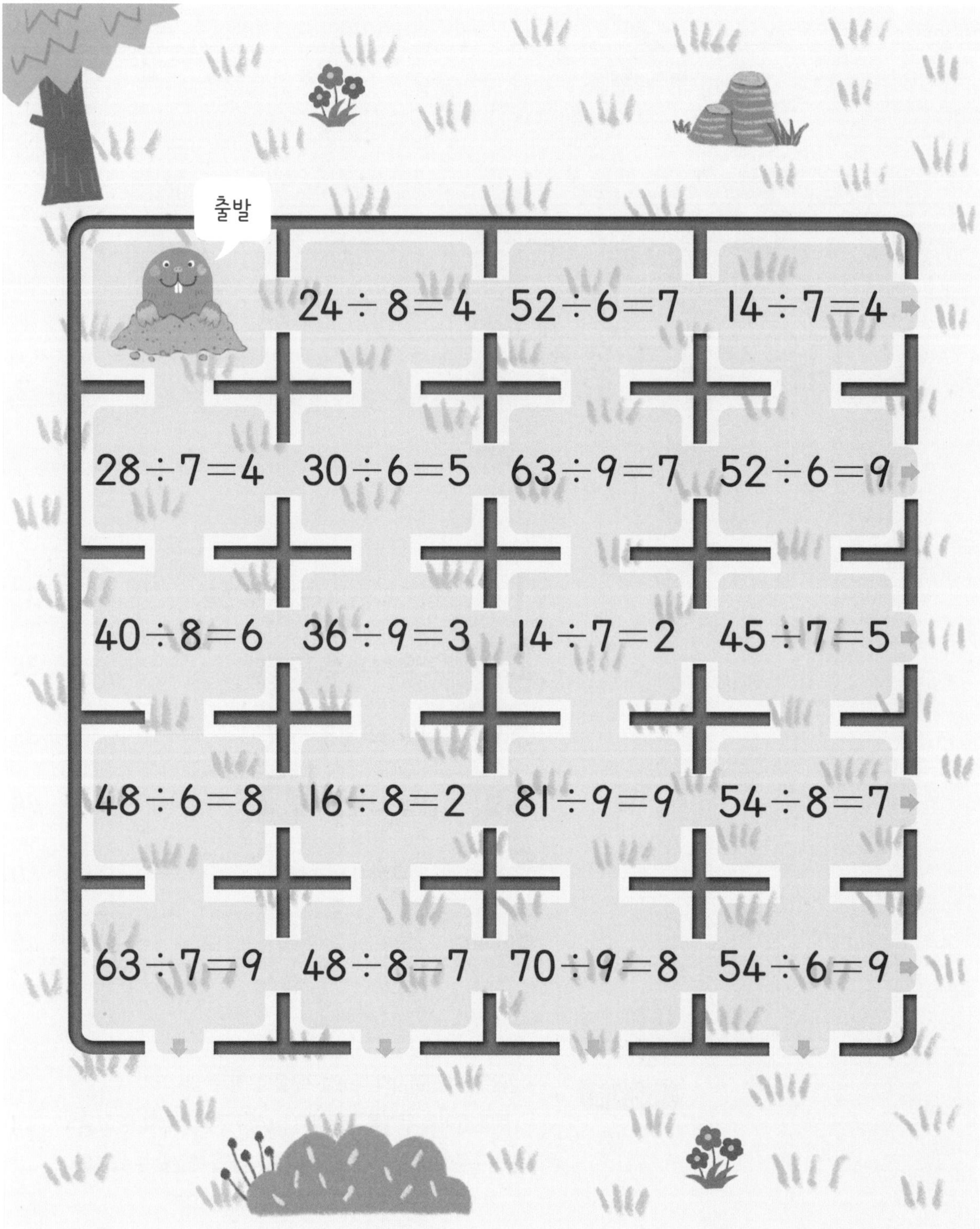

✚ 안의 수로 나누어떨어지는 수를 찾아 색칠하세요.

나누어떨어지는 수는
나눗셈구구에 있는 수야.

✚ 빈 곳에 알맞은 수를 쓰세요.

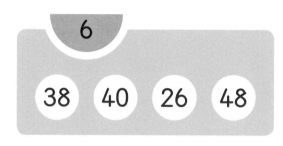

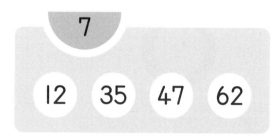

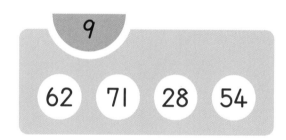

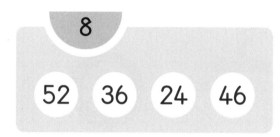

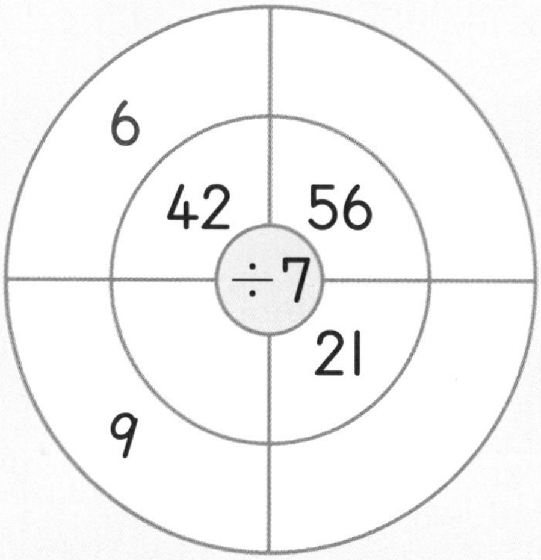

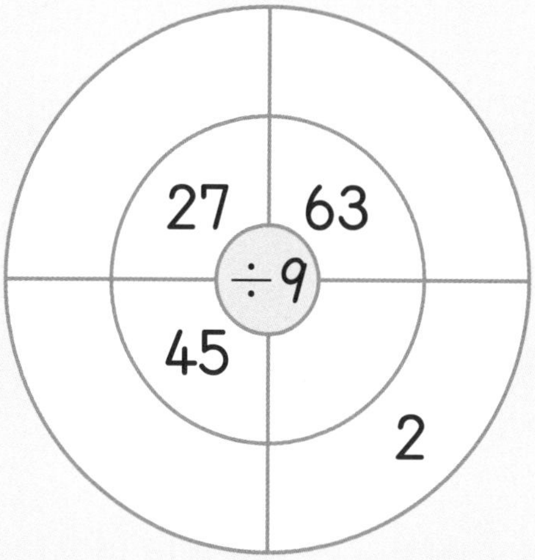

2~9단 나눗셈구구 종합 곱셈구구처럼 나눗셈도 시간을 재어 빨리 풀어 봐.

➕ ⬤ 안의 수가 몫이 되는 나눗셈식을 찾아 ◯표 하세요.

어느 길로 갈까?

2
27 ÷ 9   18 ÷ 6
35 ÷ 7   10 ÷ 5

4
10 ÷ 2   15 ÷ 3
24 ÷ 6   27 ÷ 9

8
14 ÷ 2   32 ÷ 4
63 ÷ 9   49 ÷ 7

6
15 ÷ 3   42 ÷ 6
35 ÷ 5   48 ÷ 8

➕ 빈칸에 알맞은 수를 쓰세요.

12 ÷ 3
12 ÷ 2
12 ÷ 4

36 ÷ 4
36 ÷ 9

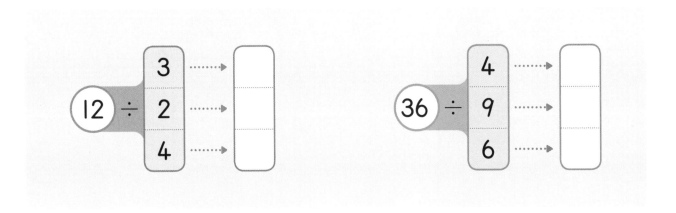

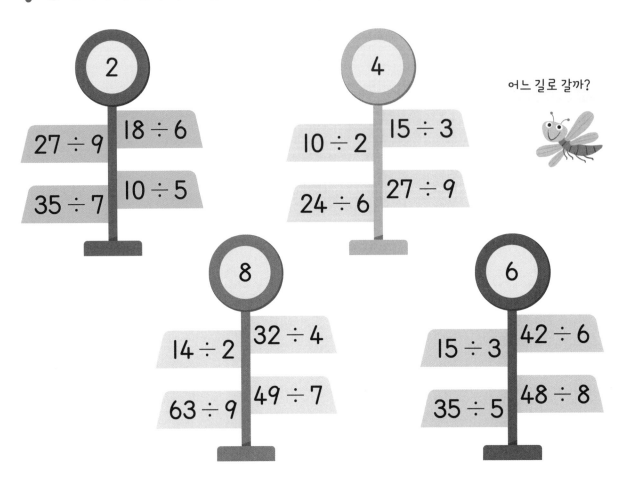

나눗셈을 하세요.

$25 \div 5 = \square$ $12 \div 2 = \square$ $32 \div 8 = \square$

$21 \div 3 = \square$ $63 \div 9 = \square$ $8 \div 4 = \square$

$48 \div 6 = \square$ $21 \div 7 = \square$ $45 \div 5 = \square$

$64 \div 8 = \square$ $15 \div 3 = \square$ $54 \div 9 = \square$

$6\overline{)30}$ = □ $2\overline{)18}$ = □ $4\overline{)16}$ = □ $7\overline{)42}$ = □

시간 : ________ 초 맞은 개수 : ________ 개

3일 나눗셈의 활용 나눗셈은 길이나 무게를 구할 때도 사용해.

✚ 나눗셈식을 써서 **?**의 길이를 구하세요.

전체 중에 한 부분을 구할 때 나눗셈을 이용해.

20 cm

? cm

$$\boxed{} \div \boxed{} = \boxed{} \,(cm)$$

18 cm

? cm

$$\boxed{} \div \boxed{} = \boxed{} \,(cm)$$

48 cm

? cm

$$\boxed{} \div \boxed{} = \boxed{} \,(cm)$$

나눗셈을 하려면 전체 칸 수도 알아야 해.

63 cm

? cm

$$\boxed{} \div \boxed{} = \boxed{} \,(cm)$$

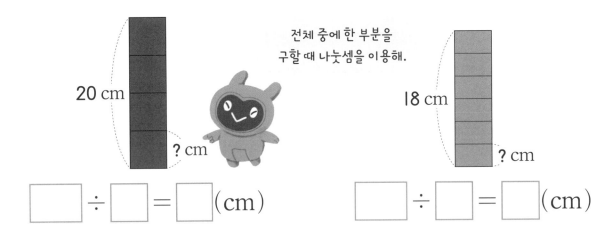

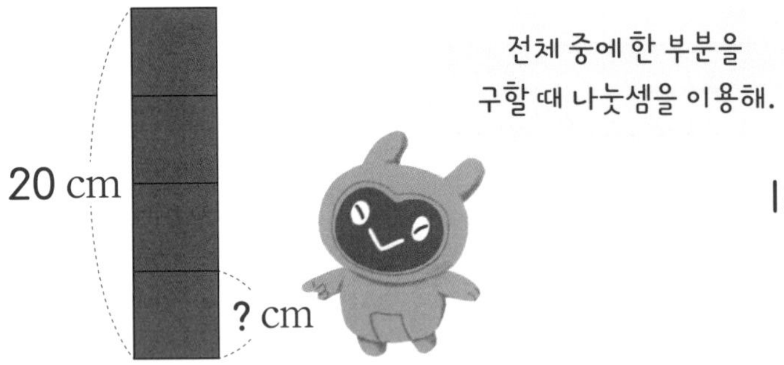

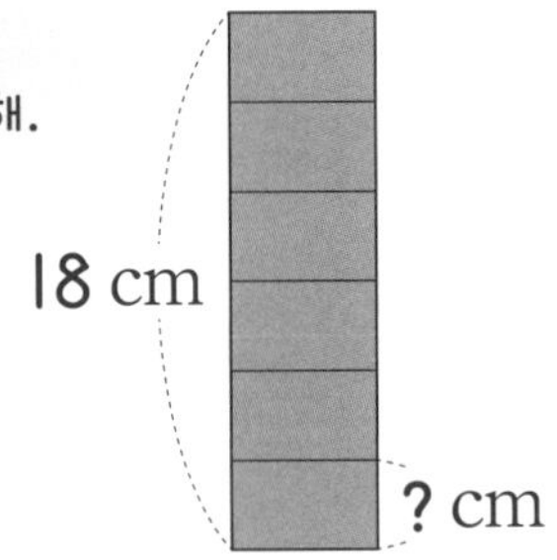

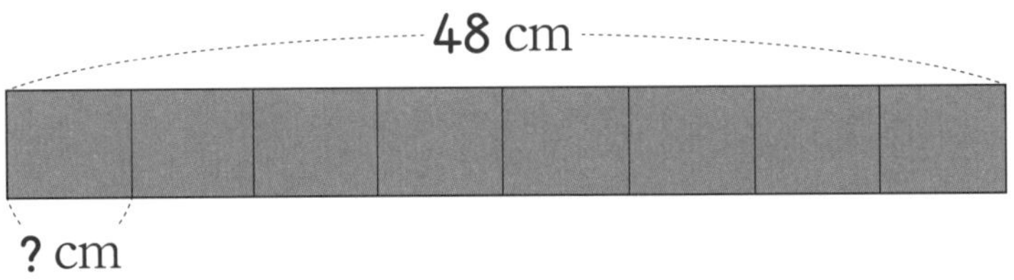

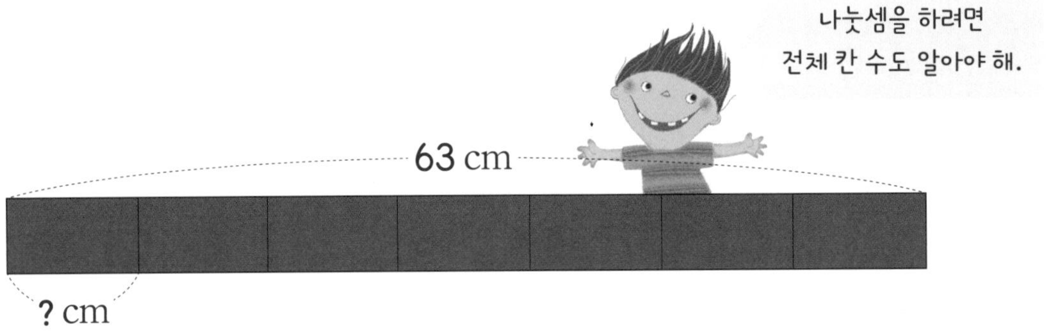

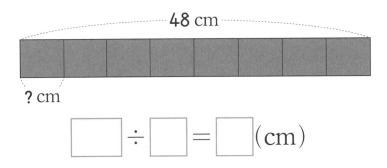

➕ 주어진 모양 l개의 무게를 구하세요. (단, 같은 모양의 무게는 서로 같습니다.)

$$\boxed{} \div \boxed{} = \boxed{} \ (g)$$

$$\boxed{} \div \boxed{} = \boxed{} \ (g)$$

내가 무게를 잴 때도
사용된다구!

$$\boxed{} \div \boxed{} = \boxed{} \ (g)$$

$$\boxed{} \div \boxed{} = \boxed{} \ (g)$$

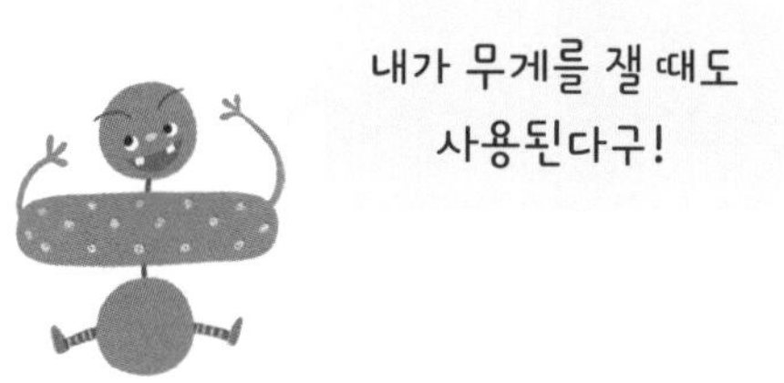

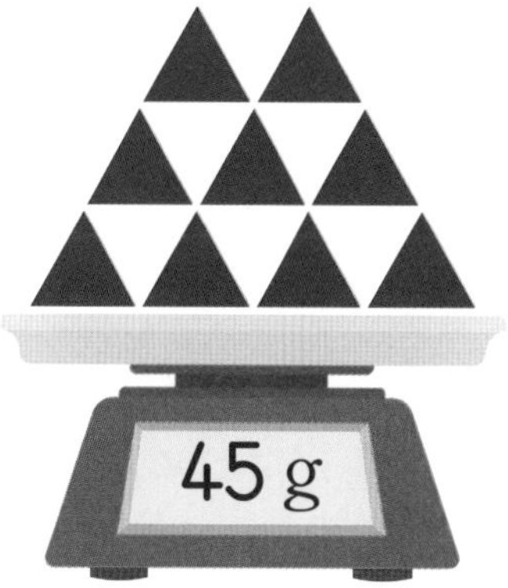

곱셈 · 나눗셈 퍼즐

지금까지 배운 곱셈과 나눗셈을 이용하여 재미있는 퍼즐을 풀어 보자.

✚ 사다리타기를 하여 ◯ 안에 알맞은 수를 쓰세요.

27÷3
그 다음 ×5

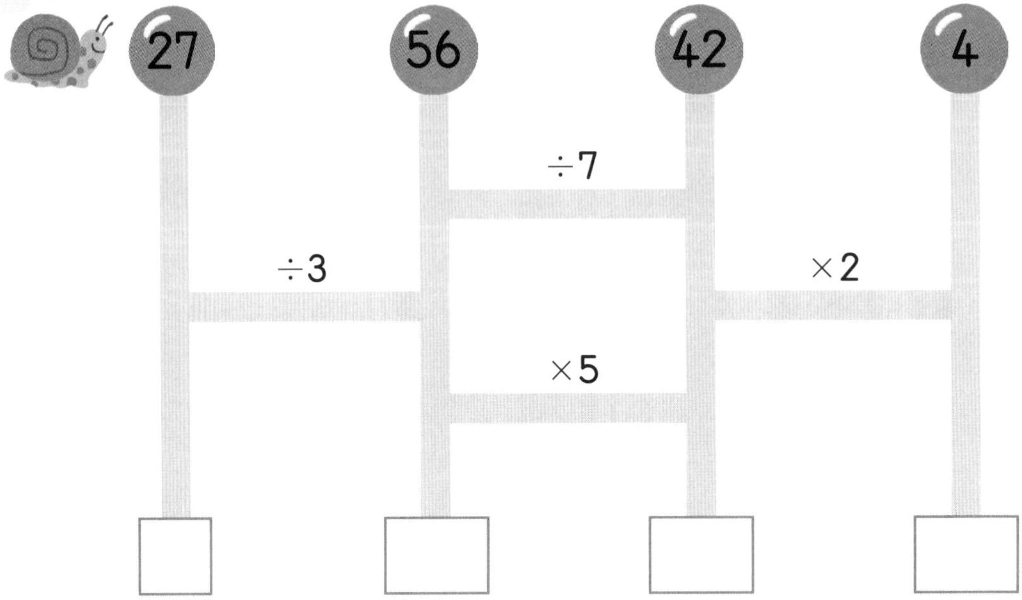

✚ 각 줄에 있는 두 수의 곱이 ⌒ 안의 수가 되도록 빈 곳에 알맞은 수를 쓰세요.

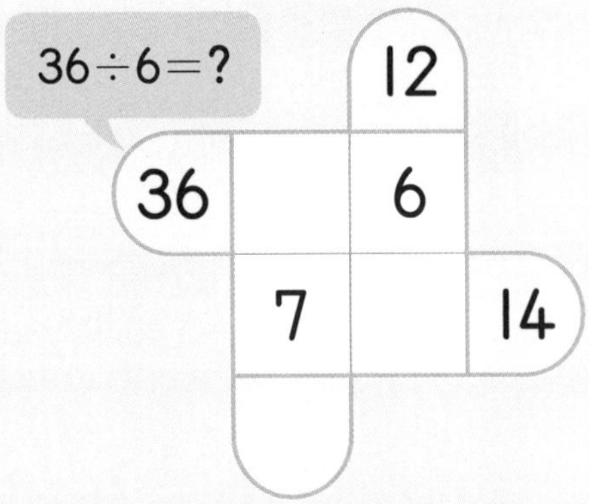

세 수의 곱이 삼각형 안에 있는 수가 되도록 ◯ 안에 알맞은 수를 쓰세요.

곱셈으로는 $6 \times 1 \times \boxed{3} = 18$
나눗셈으로는 $18 \div 6 = 1 \times \boxed{3}$

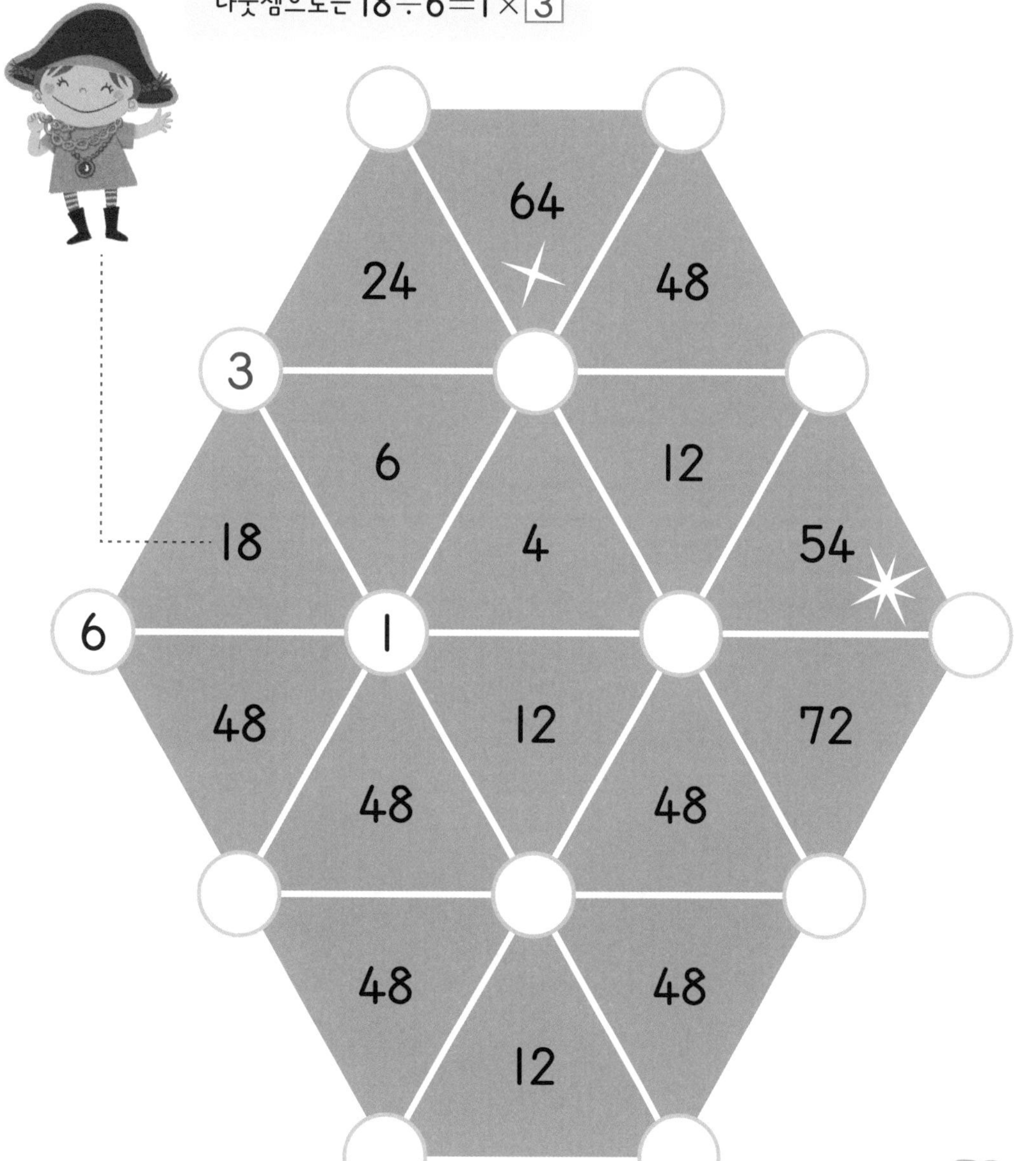

□ **구하기** 는 나눗셈식을 곱셈식 또는 다른 나눗셈식으로 바꾸면 쉬워.

➕ 몫이 같은 나눗셈식을 보고 □ 안에 알맞은 수를 쓰세요.

나눗셈식을 곱셈식으로
바꾸면 쉬워.

몫: 3

$$\boxed{} \div 5 = 3$$

$$\boxed{} \div 7 = 3$$

$$\boxed{} \div 6 = 3$$

몫: 7

$$28 \div \boxed{} = 7$$

$$42 \div \boxed{} = 7$$

$$63 \div \boxed{} = 7$$

몫: 8

$$48 \div \boxed{} = 8$$

$$\boxed{} \div 2 = 8$$

$$56 \div \boxed{} = 8$$

몫: 4

$$\boxed{} \div 5 = 4$$

$$32 \div \boxed{} = 4$$

$$\boxed{} \div 9 = 4$$

나눗셈식을 곱셈식이나 다른 나눗셈식으로
바꿀 수 있어야해.

●÷▲=★ ⋯⋯→ 곱셈식 ▲×★=●

↓ 나눗셈식

●÷★=▲

수 카드를 한 번씩 모두 사용하여 나눗셈식을 완성하세요.

2 4 1

□□ ÷ 3 = □

9 4 5

□□ ÷ 6 = □

5 3 7

□5 ÷ □ = □

8 4 8

6□ ÷ □ = □

7 2 9

□□ ÷ □ = 3

2 6 4 4

□□ ÷ □ = □

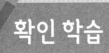
➕ 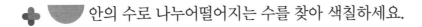 안의 수로 나누어떨어지는 수를 찾아 색칠하세요.

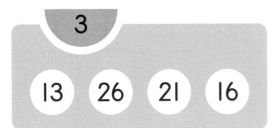

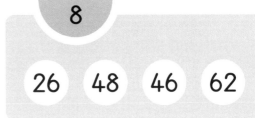

➕ 수 카드를 한 번씩 모두 사용하여 나눗셈식을 완성하세요.

| 9 | 6 | 3 |

$\boxed{}\boxed{} \div 4 = \boxed{}$

| 6 | 5 | 7 |

$\boxed{}\boxed{} \div \boxed{} = 8$

➕ 나눗셈을 하세요.

$18 \div 6 = \boxed{}$ $63 \div 9 = \boxed{}$ $40 \div 5 = \boxed{}$

$2 \overline{)14}$ $8 \overline{)72}$ $7 \overline{)28}$ $4 \overline{)24}$

4주

(두 자리 수)×(한 자리 수)

학습 기준

- 덧셈을 이용하여 (두 자리 수)×(한 자리 수)를 계산할 수 있나요? ☐
- 올림이 없는 (두 자리 수)×(한 자리 수)를 계산할 수 있나요? ☐
- 올림이 1번 있는 (두 자리 수)×(한 자리 수)를 계산할 수 있나요? ☐
- 올림이 2번 있는 (두 자리 수)×(한 자리 수)를 계산할 수 있나요? ☐

덧셈으로 계산하는 (두 자리 수)×(한 자리 수)

곱셈은 같은 수를 여러 번 더하는 계산이야.

동전을 세어 곱셈을 하세요.

13 × 2 = ☐

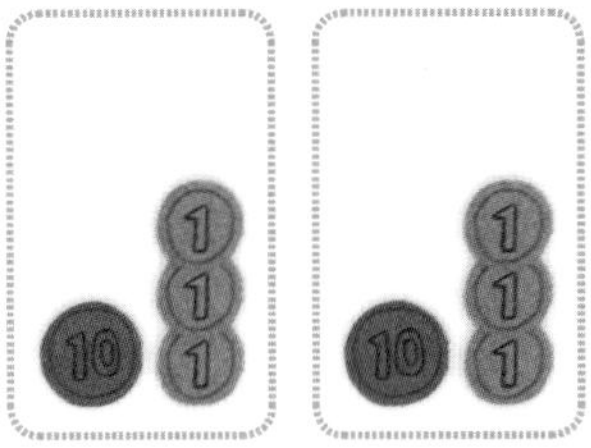
13원이 2묶음 있어.
10이 2개, 1이 6개

21 × 4 = ☐

32 × 3 = ☐

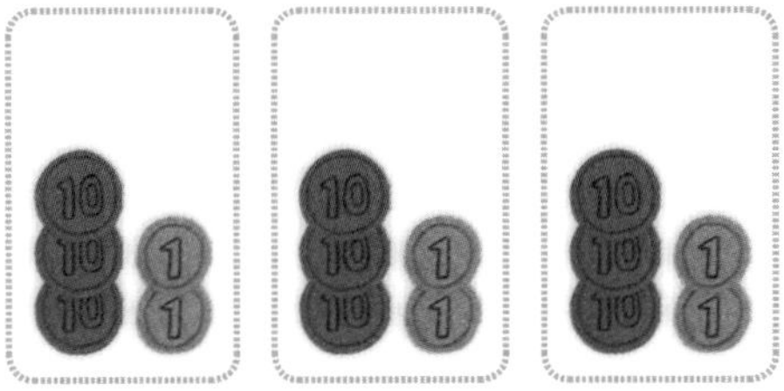

53 × 2 = ☐

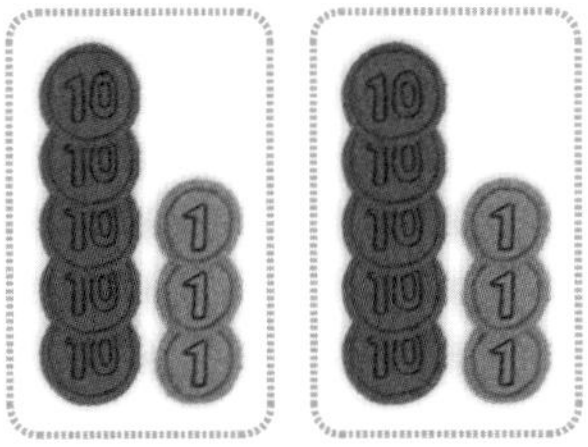

우리는 각각 몇 개씩 있어?

42 × 5 = ☐

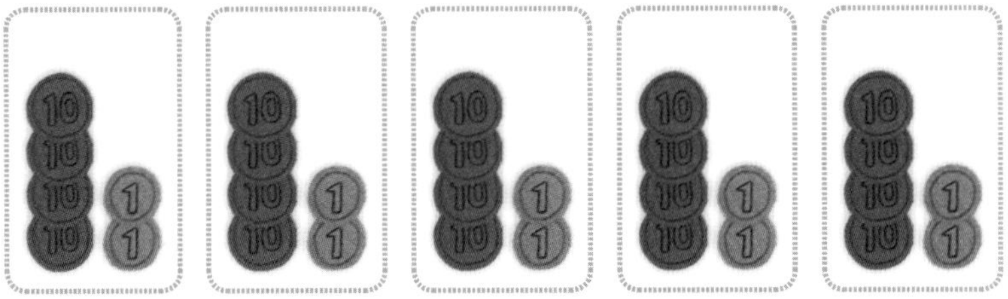

✤ 덧셈식을 써서 곱을 구하세요.

$31 \times 3 = 31 + 31 + 31 = \square$

$16 \times 5 = \rule{6cm}{0.4pt} = \square$

$27 \times 4 = \rule{6cm}{0.4pt} = \square$

계산이 복잡하지?
2일차부터는 곱을 간단히
구하는 방법을 알아볼 거야.

✤ 곱셈을 하세요.

(몇십)×(몇)의 계산은
(몇)×(몇)의 계산 결과에
0 하나만 붙이면 돼.

$3 \times 2 = \square$

$30 \times 2 = \square$

30을 2번
더해 봐.

$5 \times 3 = \square$

$50 \times 3 = \square$

$2 \times 6 = \square$

$20 \times 6 = \square$

$7 \times 8 = \square$

$70 \times 8 = \square$

올림 없는 (두 자리 수)×(한 자리 수) 자리별로 곱하기만 하면 쉬워.

➕ 빈칸에 알맞은 수를 써넣어 곱셈을 하세요.

$12 \times 3 = \boxed{}$

$10 \times 3 = \boxed{}$

$2 \times 3 = \boxed{}$

$+$

$24 \times 2 = \boxed{}$

$20 \times 2 = \boxed{}$

$4 \times 2 = \boxed{}$

$+$

$21 \times 4 = \boxed{}$

$20 \times 4 = \boxed{}$

$1 \times 4 = \boxed{}$

$+$

$32 \times 3 = \boxed{}$

$30 \times 3 = \boxed{}$

$2 \times 3 = \boxed{}$

$+$

➕ 가로셈으로 곱셈을 하세요.

2×3

$21 \times 3 = \boxed{6\ 3}$

1×3

1×4

$12 \times 4 = \boxed{}$

2×4

$40 \times 2 = \boxed{}$

$23 \times 3 = \boxed{}$

세로셈으로 곱셈을 하세요.

일의 자리 수와의 곱은
일의 자리에,
십의 자리 수와의 곱은
십의 자리에 써.

```
  1 2          3 2          1 3
×   4        ×   2        ×   3
┌─────┐      ┌─────┐      ┌─────┐
└─────┘      └─────┘      └─────┘
```

```
  4 1          1 1          2 0
×   2        ×   7        ×   4
┌─────┐      ┌─────┐      ┌─────┐
└─────┘      └─────┘      └─────┘
```

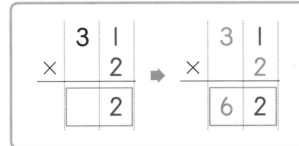

세로셈은 자리에 맞추어
곱을 바로 내려 쓰면 되니까
가로셈보다 쉽지?

3일 올림 1번 있는 (두 자리 수)×(한 자리 수) 올림한 수를 작게 써서 더해.

➕ 십의 자리에서 올림이 1번 있는 곱셈을 하세요.

십의 자리에서
올림한 수는
백의 자리에 바로 써.

```
    5 1
×     3
```

```
    9 3
×     2
```

```
    4 1
×     6
```

➕ 일의 자리에서 올림이 1번 있는 곱셈을 하세요.

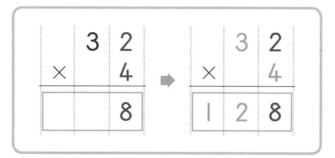

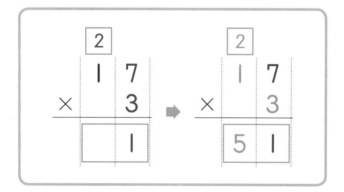

일의 자리에서
올림한 수는
십의 자리의 곱과
더해서 써.

```
    1 2
×     8
```

```
    3 7
×     2
```

```
    1 8
```

➕ 찢어진 종이를 찾아 선으로 잇고 곱을 쓰세요.

$$8\,1 \times 6$$

$$3\,6 \times 2$$

$$1\,4 \times 7$$

$$5\,2 \times 4$$

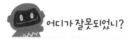

어디가 잘못되었니?

백	십	일
	1	4
×		5
5	2	0

백	십	일
	5	1
×		8
	4	8

➕ 가로셈으로 곱셈을 하세요.

일의 자리에서
올림이 1 있어.

6×3

$$62 \times 3 = \boxed{1\,8\,6}$$

2×3

4×2

$$46 \times 2 = \boxed{}$$

6×2

$$81 \times 7 = \boxed{}$$

$$29 \times 3 = \boxed{}$$

$$15 \times 6 = \boxed{}$$

$$74 \times 2 = \boxed{}$$

올림 2번 있는 (두 자리 수)×(한 자리 수)

올림한 수는 빠뜨리지 않고 꼭 더해.

➕ 곱셈을 하세요.

올림이 일의 자리에서 1, 십의 자리에서 2 두 번 있어.

```
    6 8          5 9          4 5
  ×   2        ×   3        ×   8
  ─────        ─────        ─────
```

```
  2 2          3 6          9 8
× 6          × 8          × 7
─────        ─────        ─────
```

특히 덧셈과정에서 받아올림이 있는 곱셈을 조심해.

```
  7 9          2 6
× 4          × 9
─────        ─────
```

```
    5              5
  8 9          8 9
× 6    ➡    × 6
─────        ─────
    4          5 3 4
```

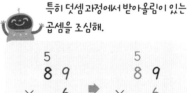

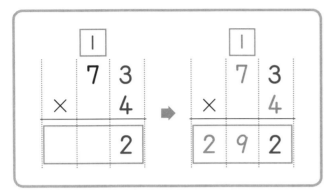

✤ 빈칸에 알맞은 수를 써넣어 곱셈을 하세요.

$46 \times 3 = \square$

$40 \times 3 = \square$

$6 \times 3 = \square$

$94 \times 8 = \square$

$90 \times 8 = \square$

$4 \times 8 = \square$

✤ 가로셈으로 곱셈을 하세요.

$27 \times 6 = \square\square2$ (4) ➡ $27 \times 6 = 162$ (4)

$55 \times 3 = \square$

$32 \times 7 = \square$

$95 \times 4 = \square$

$46 \times 9 = \square$

5일 (두 자리 수)×(한 자리 수) 연습

암산으로 계산할 수 있을 정도로 연습해.

가로 열쇠와 세로 열쇠를 보고 빈칸에 알맞은 수를 쓰세요.

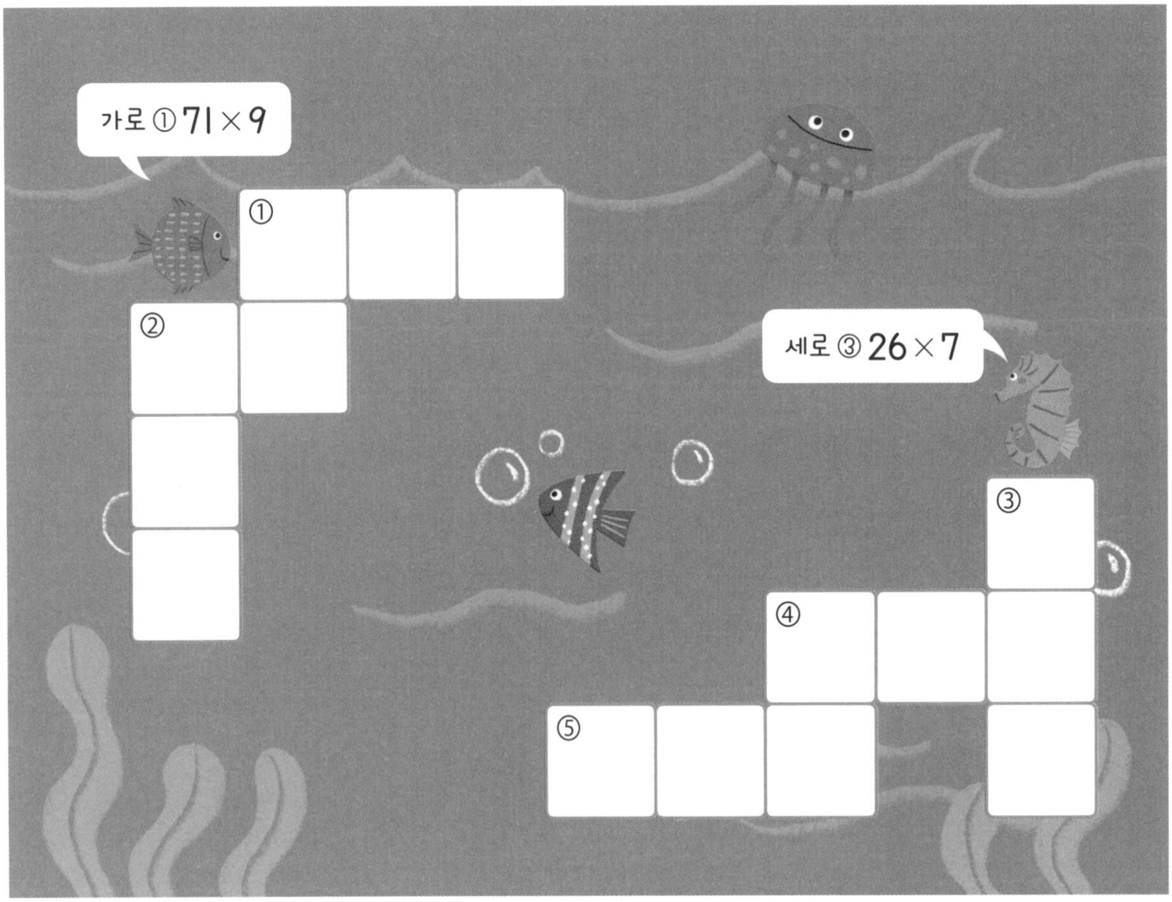

가로 열쇠
① 71×9
② 25×3
④ 82×4
⑤ 68×8

세로 열쇠
① 13×5
② 98×8
③ 26×7
④ 17×2

안의 곱셈 결과를 보고 관계있는 수에 색칠하세요.

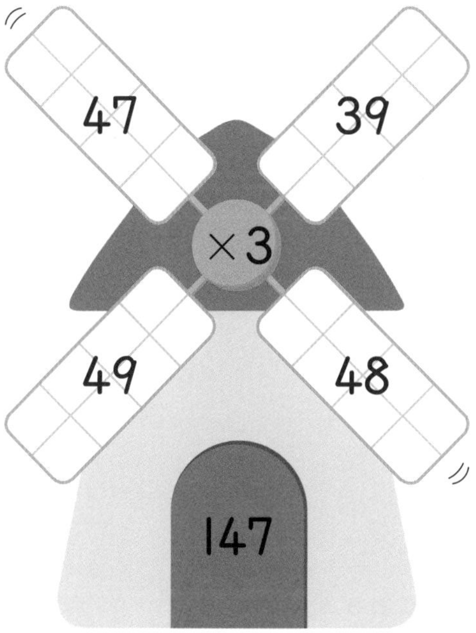

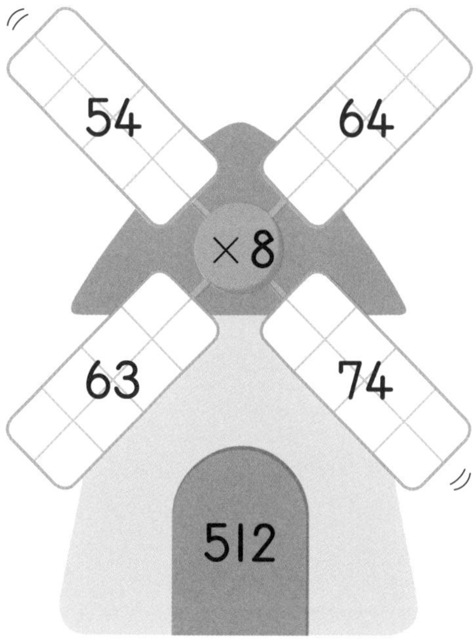

□ 안에 알맞은 수를 쓰세요.

$$\begin{array}{r} 1\,\square \\ \times\quad 4 \\ \hline 6\,8 \end{array}$$

$$\begin{array}{r} \square\,6 \\ \times\quad 9 \\ \hline 3\,2\,4 \end{array}$$

$$\begin{array}{r} \square\,7 \\ \times\quad \square \\ \hline 4\,8\,5 \end{array}$$

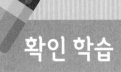

➕ 곱셈을 하세요.

$2 \times 4 = \boxed{}$

$20 \times 4 = \boxed{}$

$8 \times 5 = \boxed{}$

$80 \times 5 = \boxed{}$

➕ 곱셈을 하세요.

$$\begin{array}{r} 2\ 9 \\ \times\quad 3 \\ \hline \boxed{} \end{array}$$

$$\begin{array}{r} 9\ 7 \\ \times\quad 5 \\ \hline \boxed{} \end{array}$$

$$\begin{array}{r} 3\ 6 \\ \times\quad 6 \\ \hline \boxed{} \end{array}$$

$83 \times 2 = \boxed{}$

$42 \times 7 = \boxed{}$

➕ ☐ 안에 알맞은 수를 쓰세요.

$$\begin{array}{r} \boxed{}\ 6 \\ \times\qquad 8 \\ \hline 5\ \ 2\ \ 8 \end{array}$$

$$\begin{array}{r} \boxed{}\ 9 \\ \times\qquad \boxed{} \\ \hline 7\ \ 1\ \ 1 \end{array}$$

마무리 평가

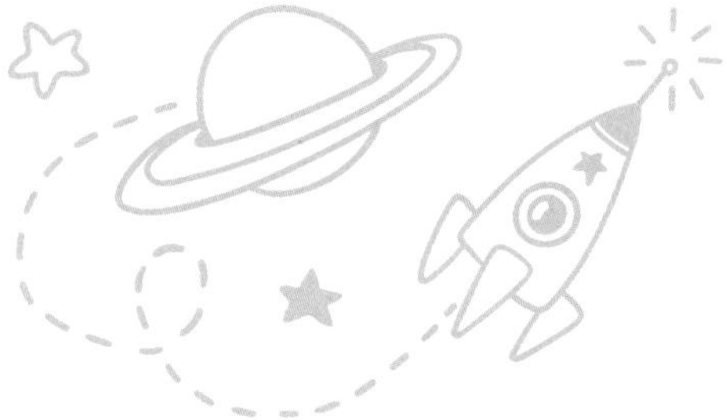

마무리 평가에서는 1, 2, 3, 4주 차의 유형이 순서대로 나옵니다.
문제가 틀리면 몇 주 차인지 확인하여 반드시 다시 한번 복습합니다.

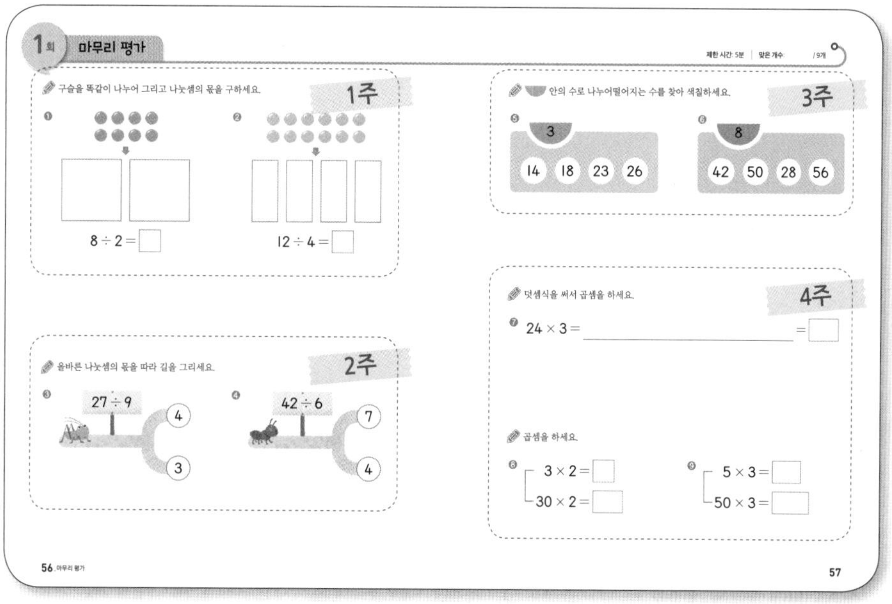

1회 마무리 평가

제한 시간: 5분 | 맞은 개수: /9개

구슬을 똑같이 나누어 그리고 나눗셈의 몫을 구하세요. 1주

❶ $8 \div 2 = \square$

❷ $12 \div 4 = \square$

올바른 나눗셈의 몫을 따라 길을 그리세요. 2주

❸ $27 \div 9$ (4, 3)

❹ $42 \div 6$ (7, 4)

안의 수로 나누어떨어지는 수를 찾아 색칠하세요. 3주

❺ 3: 14 18 23 26

❻ 8: 42 50 28 56

덧셈식을 써서 곱셈을 하세요. 4주

❼ $24 \times 3 =$ ______ $= \square$

곱셈을 하세요.

❽ $3 \times 2 = \square$, $30 \times 2 = \square$

❾ $5 \times 3 = \square$, $50 \times 3 = \square$

56 마무리 평가 / 57

1회 마무리 평가

구슬을 똑같이 나누어 그리고 나눗셈의 몫을 구하세요.

❶

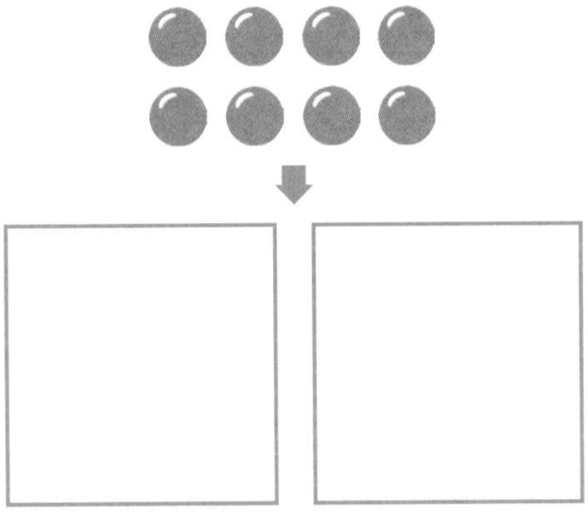

$8 \div 2 = \square$

❷

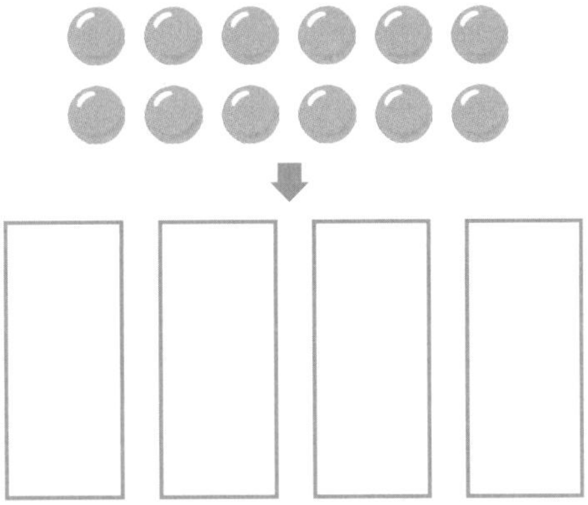

$12 \div 4 = \square$

올바른 나눗셈의 몫을 따라 길을 그리세요.

❸

❹

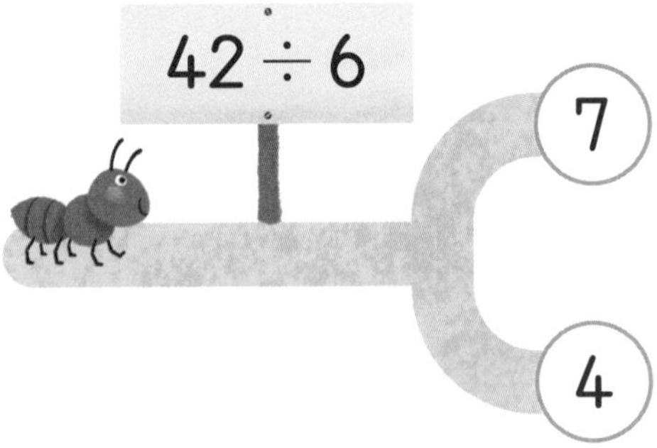

안의 수로 나누어떨어지는 수를 찾아 색칠하세요.

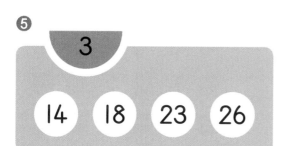

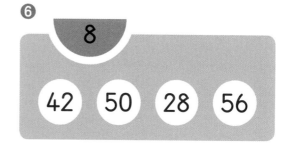

덧셈식을 써서 곱셈을 하세요.

❼ $24 \times 3 =$ _____ $=$ ☐

곱셈을 하세요.

❽
$3 \times 2 =$ ☐
$30 \times 2 =$ ☐

❾
$5 \times 3 =$ ☐
$50 \times 3 =$ ☐

2회 마무리 평가

과일을 똑같이 나누어 묶고 나눗셈의 몫을 구하세요.

❶

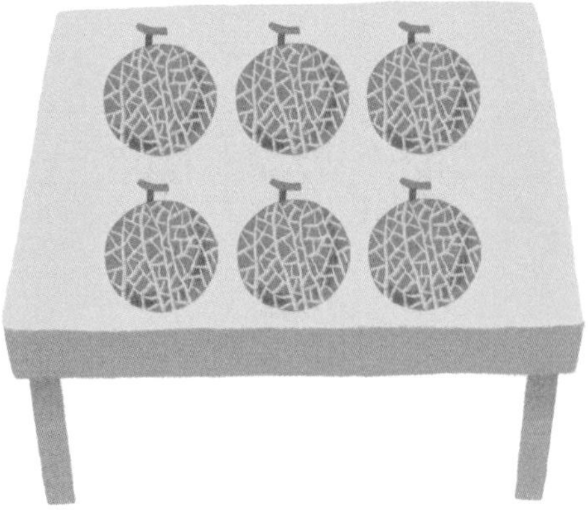

$6 \div 3 = \square$

❷

$18 \div 6 = \square$

빈칸에 알맞은 수를 쓰세요.

❸

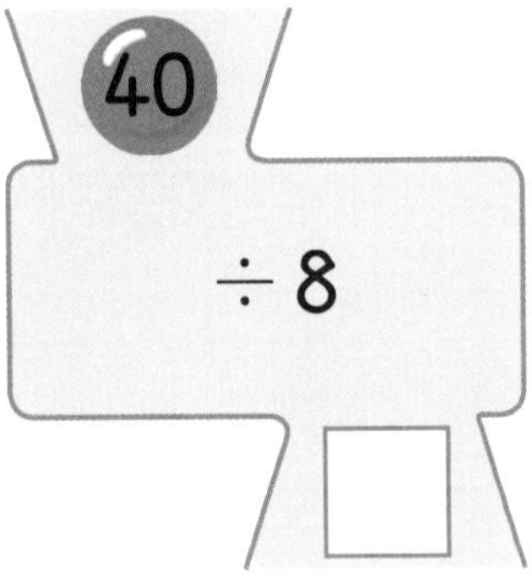

❹

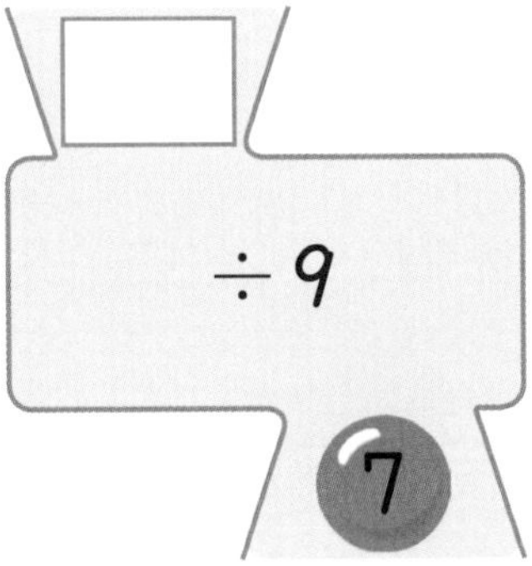

◯ 안의 수가 몫이 되는 나눗셈식을 찾아 ◯표 하세요.

❺

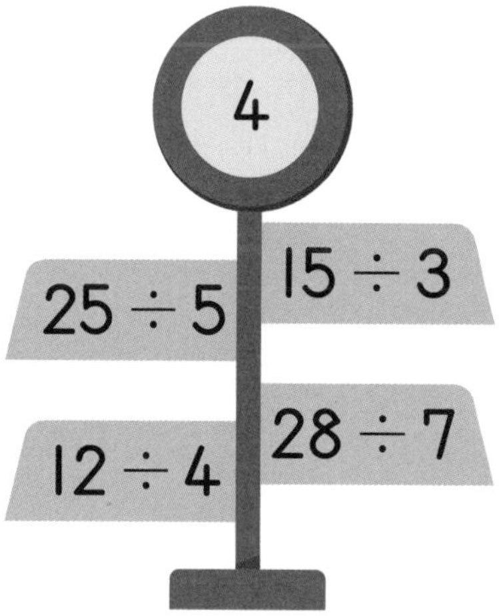

❻

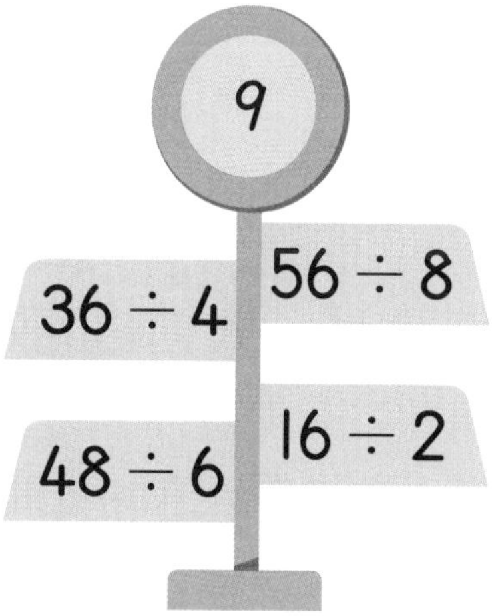

빈칸에 알맞은 수를 써넣어 곱셈을 하세요.

❼

$14 \times 2 = \square$

$10 \times 2 = \square$

$4 \times 2 = \square$

❽

$26 \times 3 = \square$

$20 \times 3 = \square$

$6 \times 3 = \square$

3회 마무리 평가

빼셈식을 나눗셈식으로 알맞게 바꾼 것에 ◯표 하세요.

❶ $20-5-5-5-5=0$

$20\div5=3$

$20\div5=4$

❷ $24-8-8-8=0$

$24\div8=3$

$24\div3=8$

알맞은 나눗셈의 몫을 찾아 ◯표 하세요.

❸

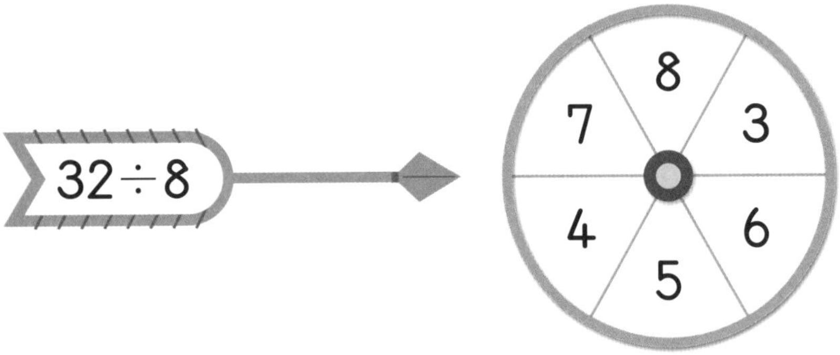

❹

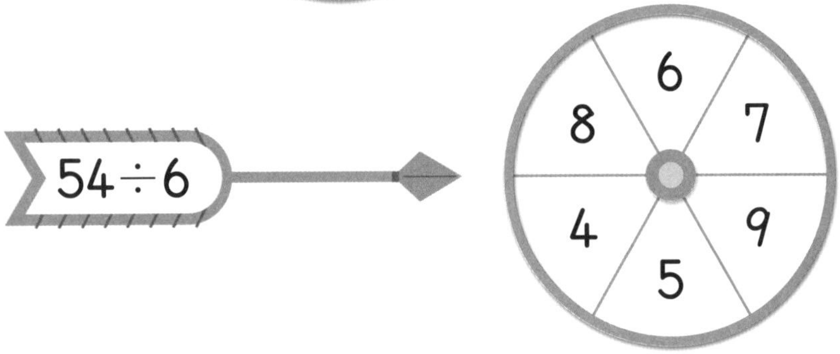

나눗셈식을 써서 **?**의 길이를 구하세요.

❺

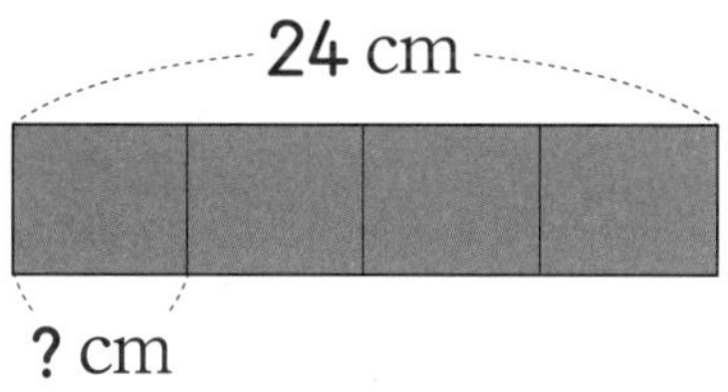

$$\boxed{} \div \boxed{} = \boxed{} (\text{cm})$$

❻

$$\boxed{} \div \boxed{} = \boxed{} (\text{cm})$$

 곱셈을 하세요.

❼
$$\begin{array}{r} 8\ 1 \\ \times\quad 7 \\ \hline \boxed{} \end{array}$$

❽
$$\begin{array}{r} 3\ 6 \\ \times\quad 3 \\ \hline \boxed{} \end{array}$$

❾ $23 \times 4 = \boxed{}$

❿ $91 \times 8 = \boxed{}$

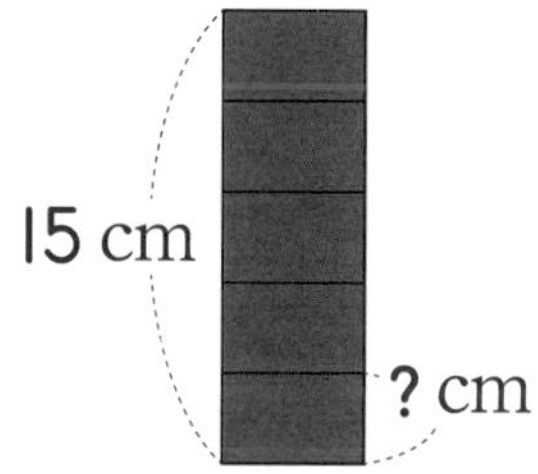

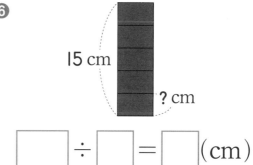

4회 마무리 평가

곱셈식을 2개의 나눗셈식으로, 나눗셈식을 2개의 곱셈식으로 나타내세요.

❶ $2 \times 5 = 10$

$\square \div \square = \square$

$\square \div \square = \square$

❷ $27 \div 9 = 3$

$\square \times \square = \square$

$\square \times \square = \square$

나눗셈에 맞게 길을 그리세요.

❸

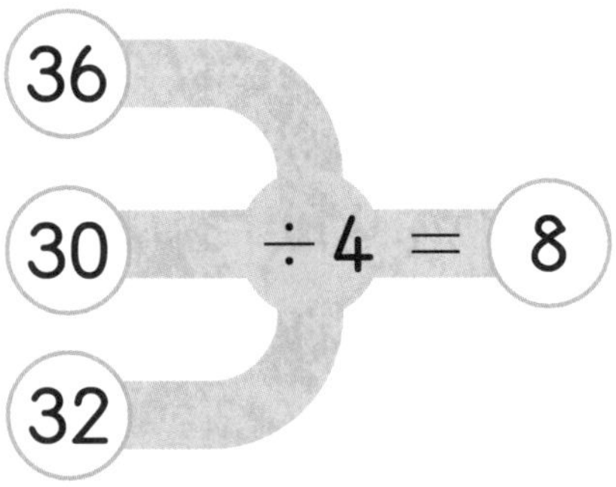

❹

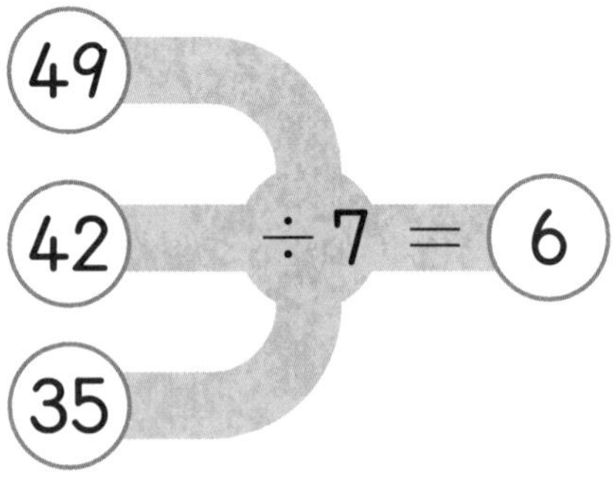

✏️ 각 줄에 있는 두 수의 곱이 🛡️ 안의 수가 되도록 빈 곳에 알맞은 수를 쓰세요.

❺

| | 10 | | 5 |
| 4 | | 28 |
| 8 |

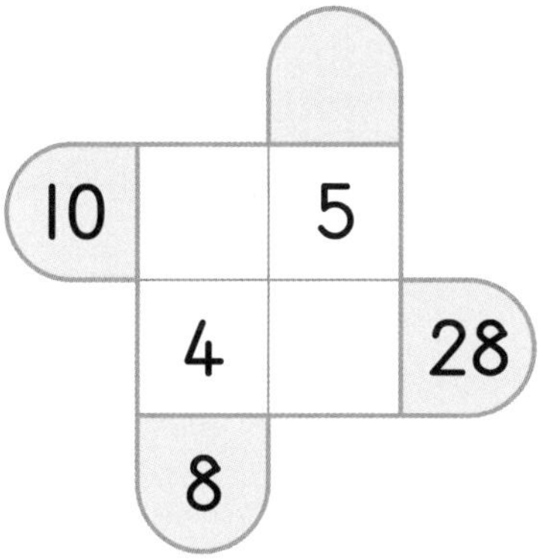

❻

| 12 |
| 32 | 8 | |
| 9 |

✏️ 곱셈을 하세요.

❼
```
    6 7
  ×   6
  ┌─────┐
  │     │
  └─────┘
```

❽
```
    2 6
  ×   9
  ┌─────┐
  │     │
  └─────┘
```

❾ $95 \times 4 =$ ☐

❿ $88 \times 7 =$ ☐

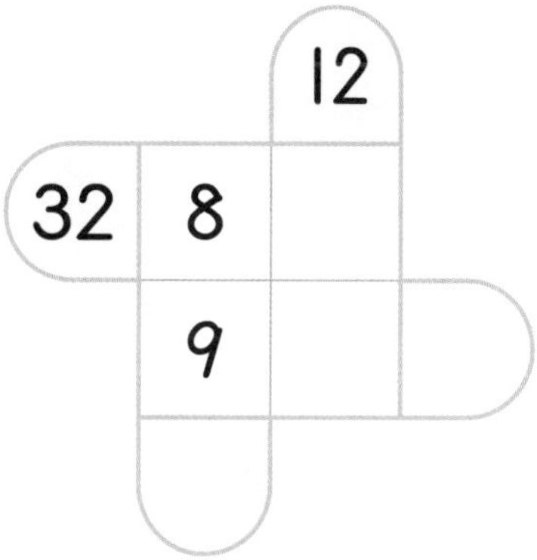

5회 마무리 평가

곱셈식을 이용하여 나눗셈의 몫을 구하세요.

❶
$2 \times \square = 16$
$16 \div 2 = \square$

❷
$6 \times \square = 18$
$18 \div 6 = \square$

관계있는 것끼리 선으로 이으세요.

❸ $\div 5$

35	4
20	8
40	7

❹ $\div 7$

63	5
28	9
35	4

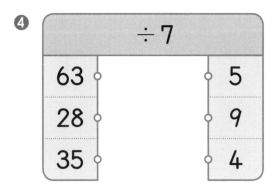

✏️ 수 카드를 한 번씩 모두 사용하여 나눗셈식을 완성하세요.

❺ 3 7 2

$$\boxed{}\boxed{} \div 9 = \boxed{}$$

❻ 6 1 4

$$\boxed{}\boxed{} \div \boxed{} = 4$$

✏️ ☐ 안에 알맞은 수를 쓰세요.

❼
$$\begin{array}{r} 1\ \boxed{} \\ \times\quad 6 \\ \hline 8\ 4 \end{array}$$

❽
$$\begin{array}{r} \boxed{}\ 4 \\ \times\quad 7 \\ \hline 4\ \boxed{}\ 8 \end{array}$$

❾
$$\begin{array}{r} \boxed{}\ 9 \\ \times\quad \boxed{} \\ \hline 1\ 7\ 8 \end{array}$$

MEMO

실력 평가

초3_2권

시간	2분	문제 수	20개
배점	1문제 5점 / 총 100점		

날짜: ______ 월 ______ 일

이름: ______________

점수: ________ 점

사고가 자라는 수학
씨투엠

❶ $12 \div 4 =$

❷ $49 \div 7 =$

❸ $30 \div 5 =$

❹ $8 \div 2 =$

❺ $72 \div 9 =$

❻ $12 \div 6 =$

❼ $20 \div 4 =$

❽ $14 \div 2 =$

❾ $27 \div 3 =$

❿ $64 \div 8 =$

⑪ $5 \div 5 =$

⑫ $32 \div 4 =$

⑬ $45 \div 9 =$

⑭ $18 \div 3 =$

⑮ $42 \div 6 =$

⑯ $32 \div 8 =$

⑰ $24 \div 4 =$

⑱ $63 \div 7 =$

⑲ $30 \div 6 =$

⑳ $18 \div 9 =$

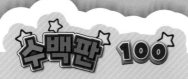

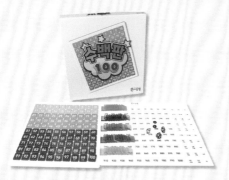

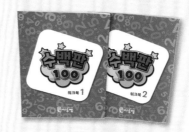

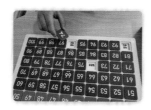

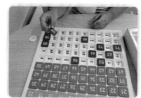

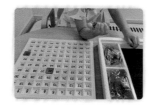

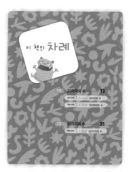

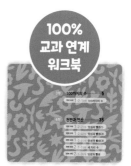

초등 연산의 기준

칸토의 연산

정답

나눗셈구구,

(두 자리 수×한 자리 수)

초3·2권

사고가 자라는 수학
씨투엠

초등 연산의 기준

칸토의 연산

정답

나눗셈구구,

(두 자리 수 × 한 자리 수)

1주: 나눗셈의 기초

1일 똑같이 나누어 담기 한 접시(묶음)에 들어 있는 빵의 수가 나눗셈의 몫이야.

2일 똑같이 덜어 내어 나누기 전체 묶음의 수가 나눗셈의 몫이야. 똑같이 묶음으로 덜어낸 횟수와도 같아.

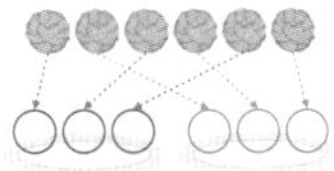

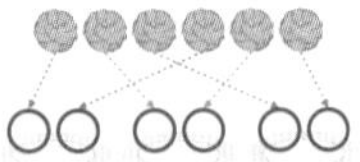

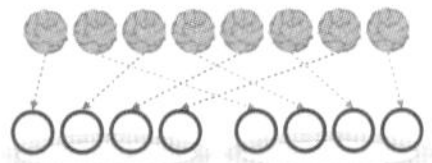

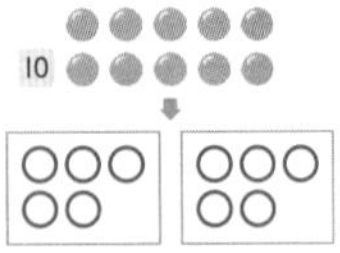

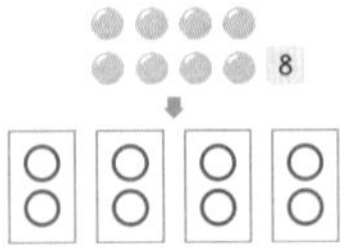

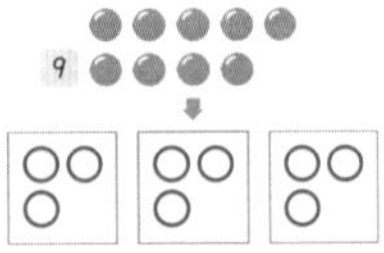

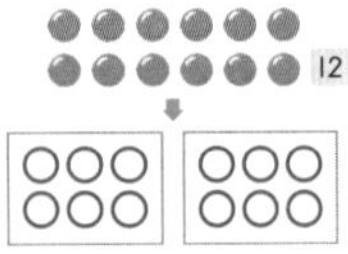

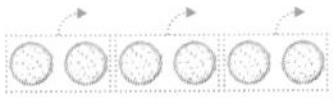

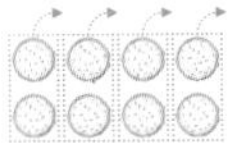

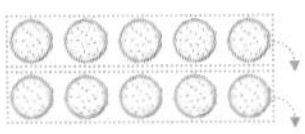

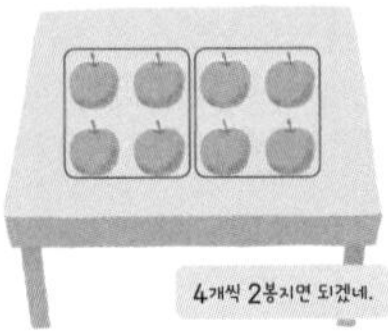

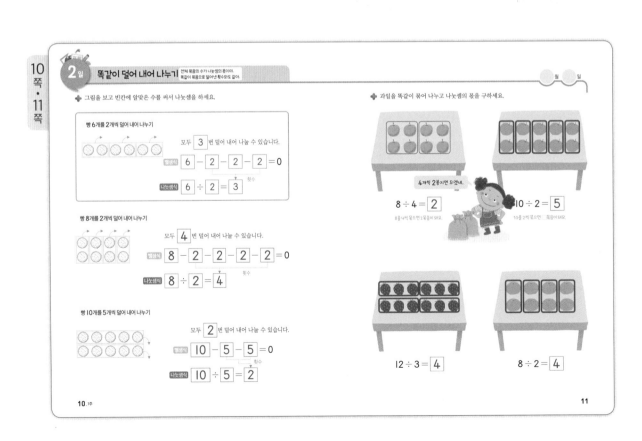

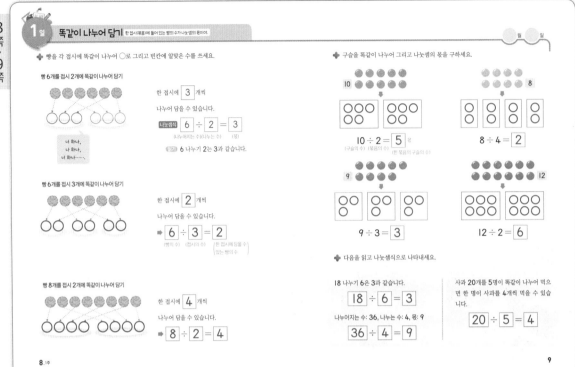

12쪽·13쪽

3일 뺄셈으로 나눗셈의 몫 구하기

나눗셈의 몫은 같은 수를 0이 될 때까지 여러 번 뺀 횟수야.

월 일

✚ 뺄셈을 하여 나눗셈의 몫을 구하세요.

12에서 4를 몇 번 빼면 0이 돼?

12 −4 8 −4 4 −4 0 (1번, 2번, 3번)

➡ $12 \div 4 = 3$

묶음의 수와 같은 개념이야. 12에는 4가 3 묶음 있지.

36에서 9를 몇 번 빼면 0이 돼?

36 −9 27 −9 18 −9 9 −9 0

➡ $36 \div 9 = 4$

30에서 5를 몇 번 빼면 0이 돼?

30 −5 25 −5 20 −5 15 −5 10 −5 5 −5 0

➡ $30 \div 5 = 6$

✚ 뺄셈식을 나눗셈식으로 알맞게 나타낸 것에 ○표 하세요.

$15-3-3-3-3-3=0$

$18-6-6-6=0$: $18 \div 6 = 4$, ($18 \div 6 = 3$) ○

$3 \div 15 = 5$, ($15 \div 3 = 5$) ○

$14-7-7=0$: ($14 \div 7 = 2$) ○, $14 \div 2 = 7$

✚ 뺄셈식을 써서 나눗셈의 몫을 구하세요.

$24-8-8-8=0$ → $24 \div 8 = 3$

24에서 8을 3번 빼면 0이 돼요.

$12-2-2-2-2-2-2=0$ → $12 \div 2 = 6$

$20-5-5-5-5=0$ → $20 \div 5 = 4$

$35-7-7-7-7-7=0$ → $35 \div 7 = 5$

14쪽·15쪽

4일 곱셈과 나눗셈의 관계

곱셈식은 나눗셈식 2개로, 나눗셈식은 곱셈식 2개로 나타낼 수 있어.

월 일

✚ 그림을 보고 곱셈식과 나눗셈식으로 나타내세요.

$2 \times 6 = 12$

2개씩 6묶음은 12개입니다.

$12 \div 2 = 6$

12개를 2개씩 묶으면 6묶음입니다.

$6 \times 2 = 12$

6개씩 2묶음은 12개입니다.

$12 \div 6 = 2$

12개를 6개씩 묶으면 2묶음입니다.

$3 \times 7 = 21$

$21 \div 3 = 7$

$7 \times 3 = 21$

$21 \div 7 = 3$

바꾸어 곱해도 같으니까 곱셈식 1개로 나눗셈식 2개를 만들 수 있어.

■×▲=★ → ★÷■=▲

■×▲=★ → ★÷▲=■

✚ 곱셈식을 나눗셈식 2개로, 나눗셈식을 곱셈식 2개로 나타내세요.

$5 \times 3 = 15$ → $15 \div 5 = 3$, $15 \div 3 = 5$

$7 \times 4 = 28$ → $28 \div 7 = 4$, $28 \div 4 = 7$

$24 \div 3 = 8$ → $3 \times 8 = 24$, $8 \times 3 = 24$

$45 \div 5 = 9$ → $5 \times 9 = 45$, $9 \times 5 = 45$

✚ 주어진 세 수를 이용하여 곱셈식 2개, 나눗셈식 2개를 만드세요.

21, 7, 3

곱셈식: $7 \times 3 = 21$, $3 \times 7 = 21$

나눗셈식: $21 \div 7 = 3$, $21 \div 3 = 7$

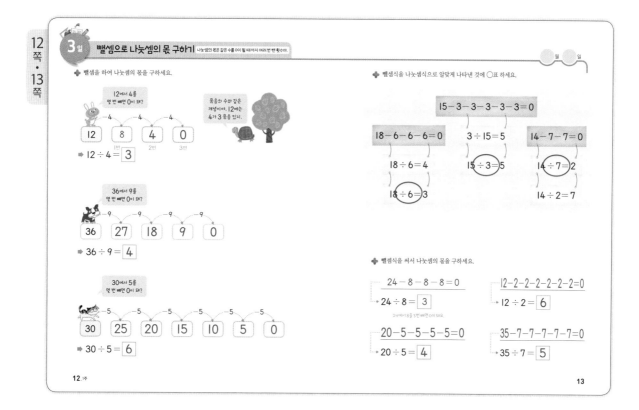

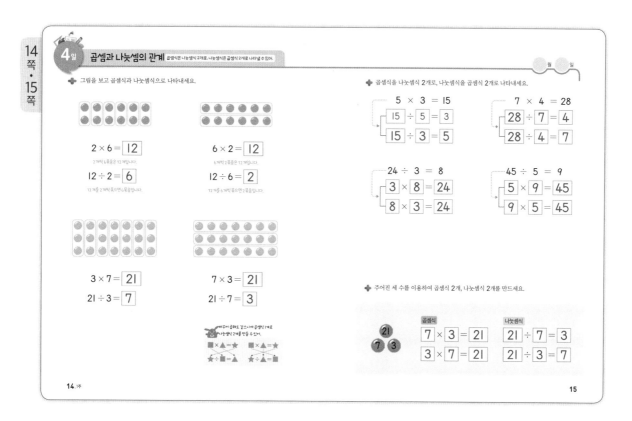

정답

16쪽 · 17쪽

5일 곱셈식으로 나눗셈의 몫 구하기

곱셈식을 이용하면 나눗셈의 몫을 쉽게 구할 수 있어.

월 일

✚ 곱셈을 이용하여 나눗셈의 몫을 구하세요.

곱하는 수

3 × [4] = 12
12 ÷ 3 = [4]

나눗셈의 몫은 곱셈식에서 곱하는 수야.

7 × [5] = 35
35 ÷ 7 = [5]

4 × [6] = 24
24 ÷ 4 = [6]

9 × [3] = 27
27 ÷ 9 = [3]

6 × [7] = 42
42 ÷ 6 = [7]

8 × [5] = 40
40 ÷ 8 = [5]

덧셈과 뺄셈, 곱셈과 나눗셈의 관계를 비교해 봐.

5 + □ = 8
8 − 5 = □

6 × □ = 24
24 ÷ 6 = □

✚ 관계있는 것끼리 선으로 이으세요.

- 18 ÷ 6 = □ — 6 × □ = 18 — 3
- 10 ÷ 5 = □ — 5 × □ = 10 — 2
- 36 ÷ 6 = □ — 6 × □ = 36 — 6
- 20 ÷ 4 = □ — 4 × □ = 20 — 5
- 72 ÷ 9 = □ — 9 × □ = 72 — 8

나눗셈의 몫은 곱셈식을 이용하여 구할 수 있어.

16_1주 17

18쪽

확인 학습

✚ 과일을 똑같이 나누어 묶고 나눗셈의 몫을 구하세요.

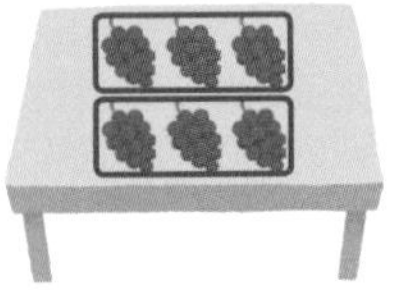

6 ÷ 3 = [2]

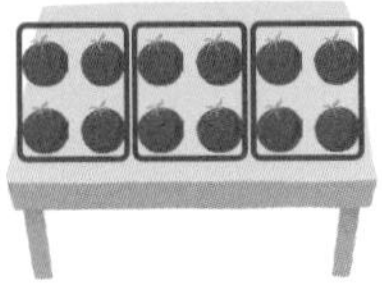

12 ÷ 4 = [3]

✚ 뺄셈식을 써서 나눗셈의 몫을 구하세요.

15 − 5 − 5 − 5 = 0
15 ÷ 5 = [3]

28 − 7 − 7 − 7 − 7 = 0
28 ÷ 7 = [4]

✚ 곱셈을 이용하여 나눗셈의 몫을 구하세요.

2 × [7] = 14
14 ÷ 2 = [7]

8 × [6] = 48
48 ÷ 8 = [6]

18_1주

1주

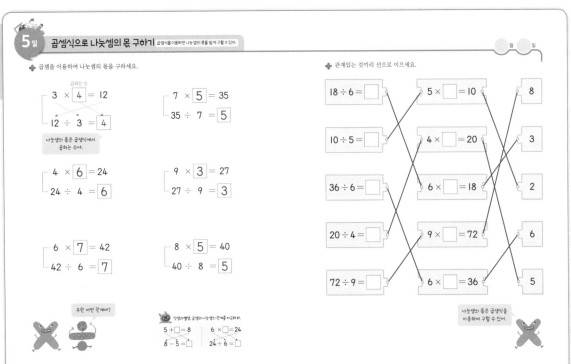

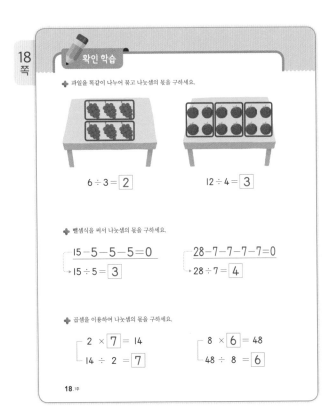

1일 2, 3단 나눗셈구구 2, 3단 곱셈구구를 이용하는 나눗셈이야.

월 일

✚ 2단, 3단 곱셈구구를 이용하여 나눗셈을 하세요.

2단

$8 \div 2 = 4$
$2 \times 4 = 8$

$12 \div 2 = 6$
$2 \times 6 = 12$

$4 \div 2 = 2$
$2 \times 2 = 4$

$14 \div 2 = 7$

$2 \div 2 = 1$

$6 \div 2 = 3$

$10 \div 2 = 5$

$18 \div 2 = 9$

$16 \div 2 = 8$

3단

$6 \div 3 = 2$
$3 \times 2 = 6$

$15 \div 3 = 5$
$3 \times 5 = 15$

$12 \div 3 = 4$
$3 \times 4 = 12$

$3 \div 3 = 1$

$21 \div 3 = 7$

$18 \div 3 = 6$

$27 \div 3 = 9$

$9 \div 3 = 3$

$24 \div 3 = 8$

✚ 올바른 나눗셈의 몸을 따라 길을 그리세요.

$4 \div 2$ → 3 $10 \div 2$ → 5 $16 \div 2$ → 8
2   6   9

$15 \div 3$ → 6 $9 \div 3$ → 4 $21 \div 3$ → 7
5   8

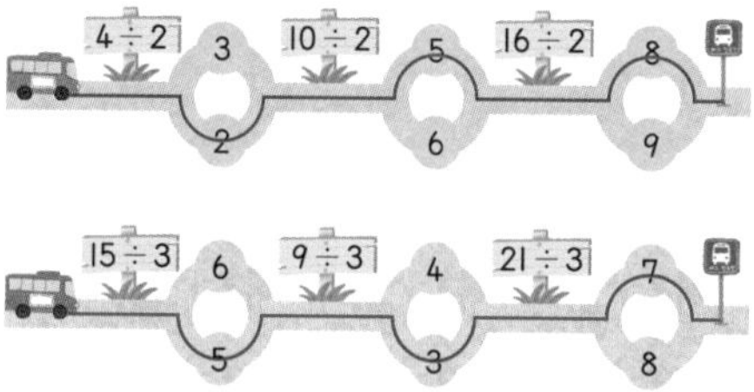

✚ 빈칸에 알맞은 수를 쓰세요.

÷ 2

8	4
12	6
6	3
14	7

÷ 3

6	2
27	9
12	4
18	6

2일 4, 5단 나눗셈구구 도 곱셈구구처럼 바로 답할 수 있게 외워야 해.

월 일

✚ 4단, 5단 곱셈구구를 이용하여 나눗셈을 하세요.

4단

$12 \div 4 = 3$
$4 \times 3 = 12$

$4 \div 4 = 1$
$4 \times 1 = 4$

$16 \div 4 = 4$
$4 \times 4 = 16$

$8 \div 4 = 2$

$28 \div 4 = 7$

$20 \div 4 = 5$

$36 \div 4 = 9$

$24 \div 4 = 6$

$32 \div 4 = 8$

5단

$20 \div 5 = 4$
$5 \times 4 = 20$

$25 \div 5 = 5$
$5 \times 5 = 25$

$10 \div 5 = 2$
$5 \times 2 = 10$

$35 \div 5 = 7$

$15 \div 5 = 3$

$40 \div 5 = 8$

$5 \div 5 = 1$

$45 \div 5 = 9$

$30 \div 5 = 6$

✚ 나눗셈의 몸을 찾아 선으로 이으세요.

| 12 | 20 | 8 | 36 | 24 |

÷ 4

| 2 | 6 | 5 | 3 | 9 |

÷ 5

| 25 | 20 | 35 | 40 | 15 |

| 4 | 5 | 8 | 3 | 7 |

✚ 빈칸에 알맞은 수를 쓰세요.

28 ÷ 4 → 7

45 ÷ 5 → 9

16 ÷ 4 → 4

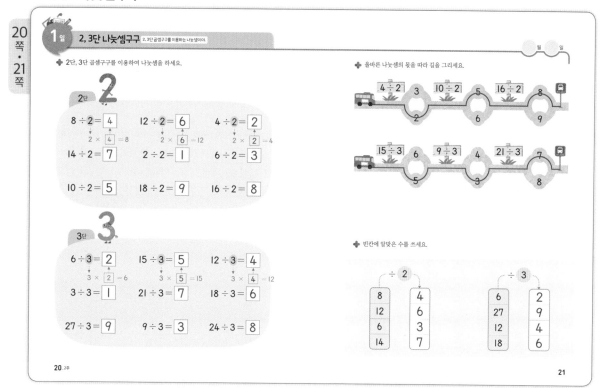

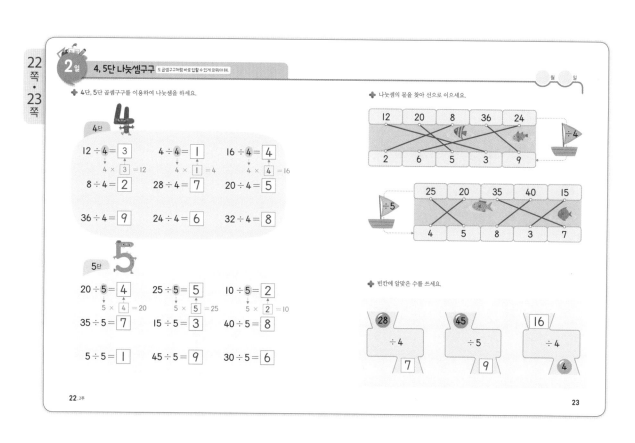

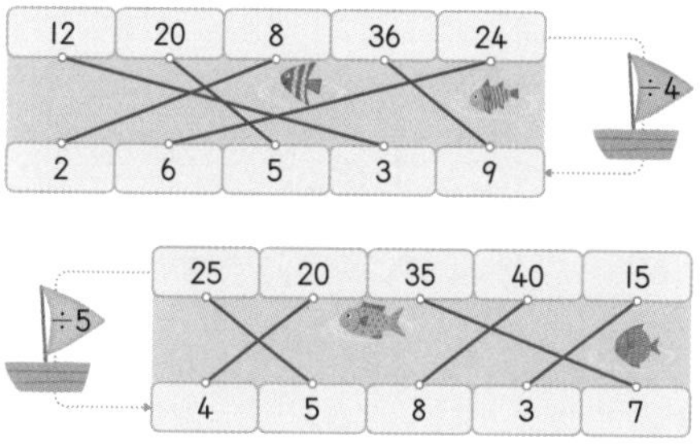

정답

3일 2, 3, 4, 5단 나눗셈구구 연습
나눗셈을 세로셈으로도 연습해 보자.

월 일

✚ 알맞은 나눗셈의 몫을 찾아 ○표 하세요.

21÷3 → 6, 9, 5, ⑦, 4, 8

10÷2 = ?
2단 나눗셈구구야.

10÷2 → 7, 4, ⑤, 8, 3, 6

36÷4 → 7, 4, 8, 5, ⑨, 6

30÷5 → ⑥, 8, 4, 7, 5, 3

✚ 세로셈으로 나눗셈을 하세요.

12÷4 = [3] ➡ 4)12 → [3]
몫 / 나누는 수 / 나누어지는 수

2)12 → 6
4)20 → 5
5)15 → 3
3)24 → 8

몫은 나누어지는 수의 일의 자리에 맞춰 써.

2)18 → 9
3)18 → 6
4)28 → 7

✚ 가로셈을 세로셈으로 바꾸어 나눗셈을 하세요.

16÷2 → 2)16 → 8
35÷5 → 5)35 → 7
27÷3 → 3)27 → 9

4일 6, 7단 나눗셈구구
나눗셈구구가 아직 어렵니? 곱셈구구를 잘 외웠는지 다시 확인해 봐.

월 일

✚ 6단, 7단 곱셈구구를 이용하여 나눗셈을 하세요.

6단

12÷6 = [2] (6×[2]=12)
30÷6 = [5] (6×[5]=30)
24÷6 = [4] (6×[4]=24)
36÷6 = [6]
18÷6 = [3]
54÷6 = [9]
6÷6 = [1]
48÷6 = [8]
42÷6 = [7]

7단

21÷7 = [3] (7×[3]=21)
7÷7 = [1] (7×[1]=7)
42÷7 = [6] (7×[6]=42)
14÷7 = [2]
56÷7 = [8]
35÷7 = [5]
63÷7 = [9]
28÷7 = [4]
49÷7 = [7]

✚ 빈칸에 알맞은 수를 쓰세요.

÷	30	12	48	36
6	5	2	8	6

÷	21	49	35	56
7	3	7	5	8

✚ 나눗셈에 맞게 길을 그리세요.

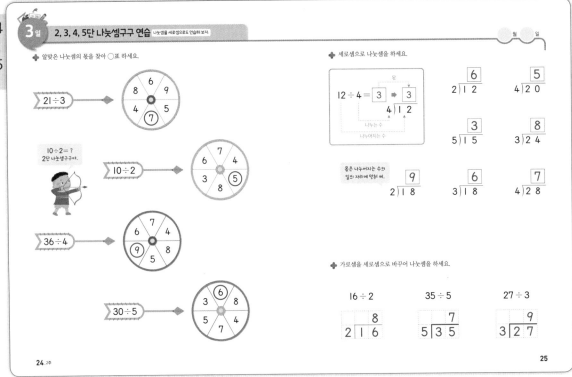

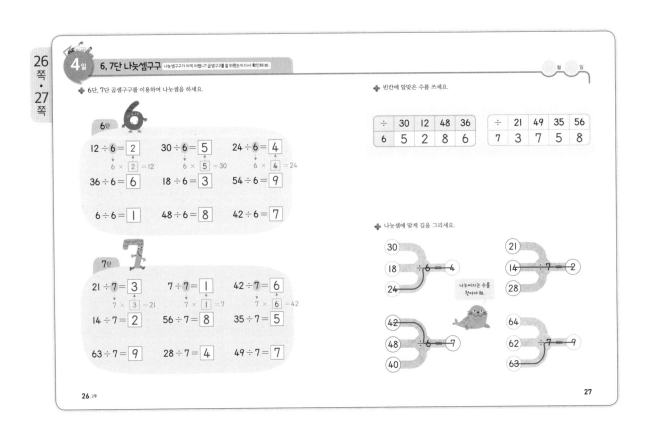

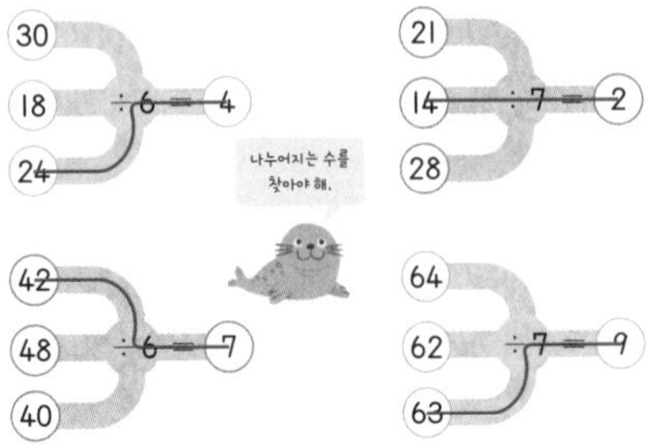

5일 8, 9단 나눗셈구구 나눗셈구구를 잘 해야 더 큰 수의 나눗셈을 잘 할 수 있어.

월 일

♣ 8단, 9단 곱셈구구를 이용하여 나눗셈을 하세요.

 8단

$40 \div 8 = \boxed{5}$ $16 \div 8 = \boxed{2}$ $56 \div 8 = \boxed{7}$

$8 \times \boxed{5} = 40$ $8 \times \boxed{2} = 16$ $8 \times \boxed{7} = 56$

$24 \div 8 = \boxed{3}$ $72 \div 8 = \boxed{9}$ $32 \div 8 = \boxed{4}$

$64 \div 8 = \boxed{8}$ $8 \div 8 = \boxed{1}$ $48 \div 8 = \boxed{6}$

9단

$54 \div 9 = \boxed{6}$ $27 \div 9 = \boxed{3}$ $72 \div 9 = \boxed{8}$

$9 \times \boxed{6} = 54$ $9 \times \boxed{3} = 27$ $9 \times \boxed{8} = 72$

$18 \div 9 = \boxed{2}$ $63 \div 9 = \boxed{7}$ $36 \div 9 = \boxed{4}$

$9 \div 9 = \boxed{1}$ $45 \div 9 = \boxed{5}$ $81 \div 9 = \boxed{9}$

♣ 같은 조각을 찾아 빈칸에 나눗셈의 몫을 쓰세요.

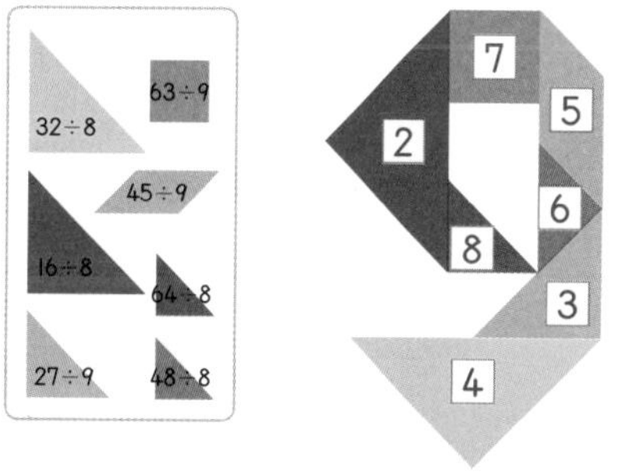

♣ 관계있는 것끼리 선으로 이으세요.

28 .2주

29

✏️ **확인 학습**

♣ 올바른 나눗셈의 몫을 따라 길을 그리세요.

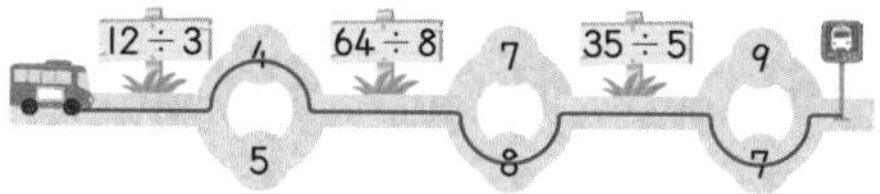

♣ 빈칸에 알맞은 수를 쓰세요.

♣ 나눗셈을 하세요.

$32 \div 8 = \boxed{4}$ $18 \div 3 = \boxed{6}$ $14 \div 7 = \boxed{2}$

$18 \div 2 = \boxed{9}$ $42 \div 6 = \boxed{7}$ $36 \div 4 = \boxed{9}$

30 .2주

2주

3주: 나눗셈구구 종합

1일 6, 7, 8, 9단 나눗셈구구 연습 4개의 단을 섞어서도 잘 할 수 있어야 해.

2일 2~9단 나눗셈구구 종합 곱셈구구처럼 나눗셈도 시간을 재어 빨리 풀어 봐.

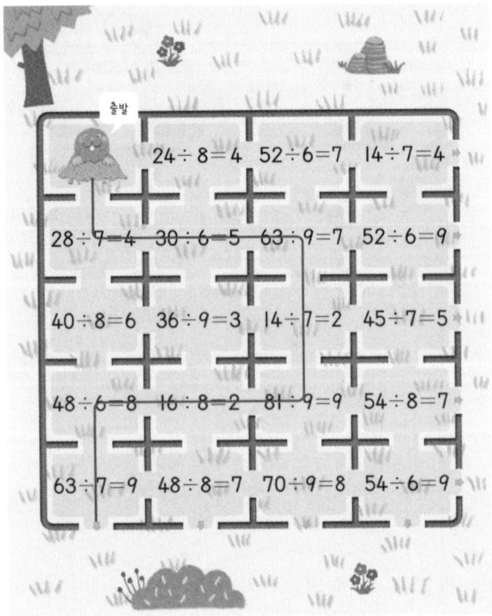

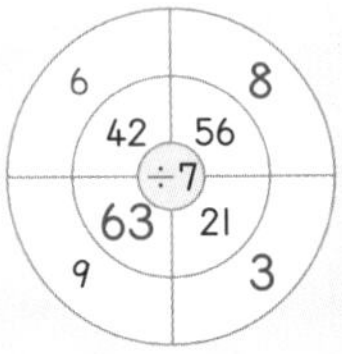

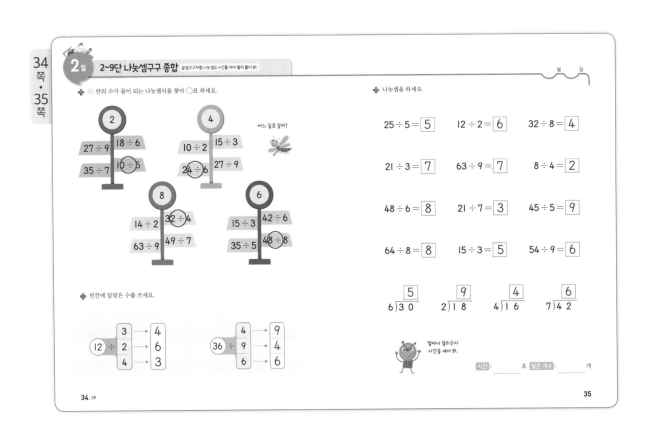

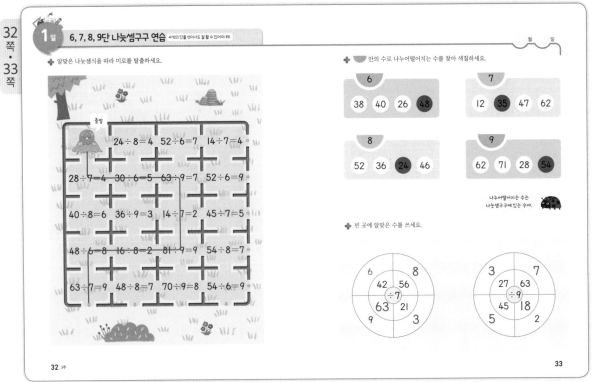

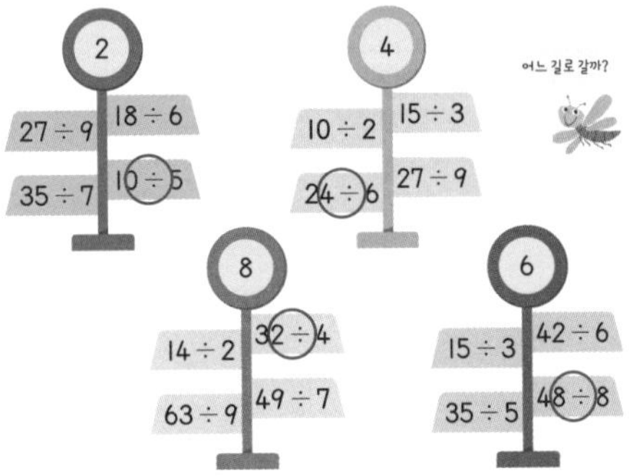

3일 나눗셈의 활용 나눗셈은 길이나 무게를 구할 때도 사용해.

월 일

♦ 나눗셈식을 써서 **?**의 길이를 구하세요.

전체 중에 한 부분을 구할 때 나눗셈을 이용해.

20 cm
? cm

$20 \div 4 = 5$ (cm)

18 cm
? cm

$18 \div 6 = 3$ (cm)

48 cm
? cm

$48 \div 8 = 6$ (cm)

나눗셈을 하려면 전체 한 수도 알아야 해.

63 cm
? cm

$63 \div 7 = 9$ (cm)

♦ 주어진 모양 1개의 무게를 구하세요. (단, 같은 모양의 무게는 서로 같습니다.)

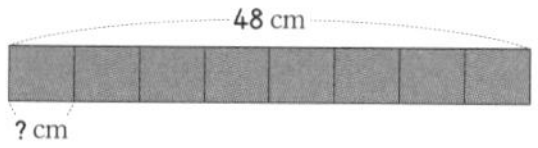

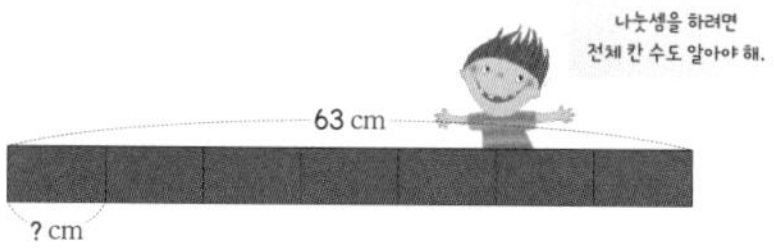

16 g

$16 \div 2 = 8$ (g)

30 g

$30 \div 5 = 6$ (g)

내가 무게를 잴 때도 사용된다구!

12 g

$12 \div 3 = 4$ (g)

45 g

$45 \div 9 = 5$ (g)

4일 곱셈·나눗셈 퍼즐 지금까지 배운 곱셈과 나눗셈을 이용하여 재미있는 퍼즐을 풀어 보자.

♦ 사다리타기를 하여 ◯ 안에 알맞은 수를 쓰세요.

27÷3
그다음 ×5

27   56   42   4

÷7
÷3   ×2
×5

2   40   45   16
42÷7÷3 4×2×5 27÷3×5 56÷7×2

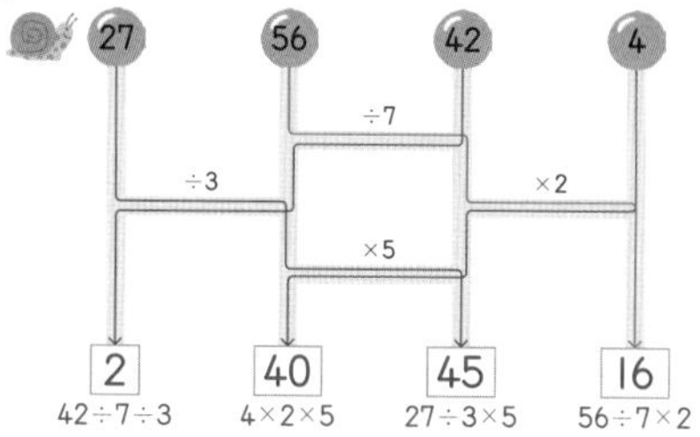

♦ 각 줄에 있는 두 수의 곱이 ▨ 안의 수가 되도록 빈 곳에 알맞은 수를 쓰세요.

36÷6=?

	12	
36	6	6
	7	2	14
42		

	20	
15	3	5
	8	4	32
24		

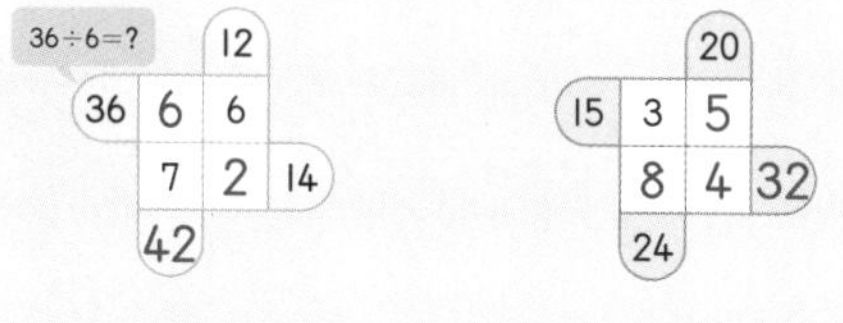

♦ 세 수의 곱이 삼각형 안에 있는 수가 되도록 ◯ 안에 알맞은 수를 쓰세요.

곱셈으로는 6×1×3=18
나눗셈으로는 18÷6=1×3

4   8
64
24   2   48
3   2   3
6   12
18   4   54
6   1   2   9
48   12   72
48   48
8   6   4
48   48
12

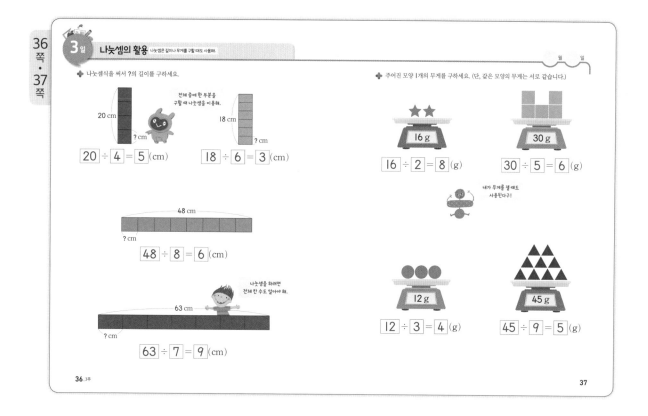

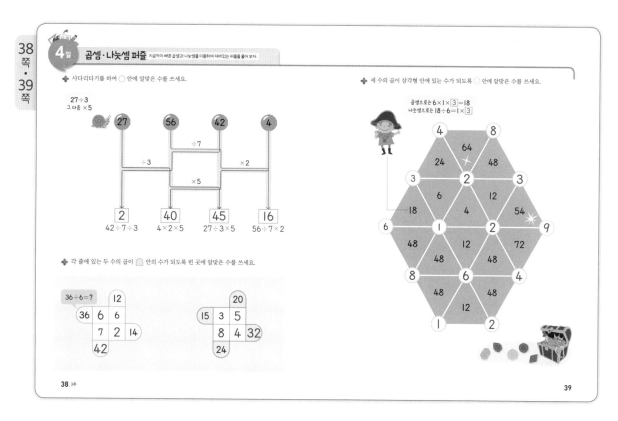

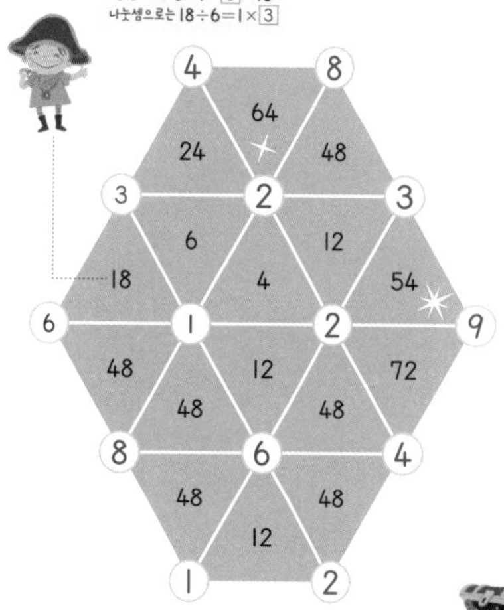

정답

40쪽 · 41쪽

5일 □ 구하기

는 나눗셈식을 곱셈식 또는 다른 나눗셈식으로 바꾸면 쉬워.

✚ 몫이 같은 나눗셈식을 보고 □ 안에 알맞은 수를 쓰세요.

나눗셈식을 곱셈식으로 바꾸면 쉬워.

몫: 3

[15] ÷ 5 = 3 5×3=15

[21] ÷ 7 = 3 7×3=21

[18] ÷ 6 = 3 6×3=18

몫: 7

28 ÷ [4] = 7 28÷7=4

42 ÷ [6] = 7 42÷7=6

63 ÷ [9] = 7 63÷7=9

몫: 8

48 ÷ [6] = 8 48÷8=6

[16] ÷ 2 = 8 2×8=16

56 ÷ [7] = 8 56÷8=7

몫: 4

[20] ÷ 5 = 4 5×4=20

32 ÷ [8] = 4 32÷4=8

[36] ÷ 9 = 4 9×4=36

나눗셈식을 곱셈식이나 다른 나눗셈식으로 바꿀 수 있어야 해.

●÷▲=★ —곱셈식→ ▲×★=●

↓ 나눗셈식

●÷★=▲

월 일

✚ 수 카드를 한 번씩 모두 사용하여 나눗셈식을 완성하세요.

2 4 1

[1][2] ÷ 3 = [4]

9 4 5

[5][4] ÷ 6 = [9]

곱셈을 이용해도 돼.

5 3 7

[3]5 ÷ [5] = [7]

또는 35 ÷ 7 = 5

8 4 8

6[4] ÷ [8] = [8]

나누는 수를 먼저 정해 봐.

7 2 9

[2][7] ÷ [9] = 3

2 6 4 4

[2][4] ÷ [4] = [6]

또는 24 ÷ 6 = 4

42쪽

확인 학습

✚ ◠ 안의 수로 나누어떨어지는 수를 찾아 색칠하세요.

3: 13 26 **21** 16

8: 26 **48** 46 62

✚ 수 카드를 한 번씩 모두 사용하여 나눗셈식을 완성하세요.

9 6 3

[3][6] ÷ 4 = [9]

6 5 7

[5][6] ÷ [7] = 8

✚ 나눗셈을 하세요.

18 ÷ 6 = [3]   63 ÷ 9 = [7]   40 ÷ 5 = [8]

$2\overline{)14}$ = [7] $8\overline{)72}$ = [9] $7\overline{)28}$ = [4] $4\overline{)24}$ = [6]

3주

4주: (두 자리 수)×(한 자리 수)

44
쪽
·
45
쪽

1일 덧셈으로 계산하는 (두 자리 수)×(한 자리 수) 곱셈은 같은 수를 여러 번 더하는 계산이야.

월 일

◆ 동전을 세어 곱셈을 하세요.

$13 \times 2 = \boxed{26}$

13원이 2줄을 있어.

10이 2개, 1이 6개

$21 \times 4 = \boxed{84}$

$32 \times 3 = \boxed{96}$

$53 \times 2 = \boxed{106}$

우리는 각각 몇 개씩 있어?

$42 \times 5 = \boxed{210}$

◆ 덧셈식을 써서 곱을 구하세요.

$31 \times 3 = \underline{\quad 31+31+31 \quad} = \boxed{93}$

$16 \times 5 = \underline{\quad 16+16+16+16+16 \quad} = \boxed{80}$

$27 \times 4 = \underline{\quad 27+27+27+27 \quad} = \boxed{108}$

계산이 복잡하지?
2일차부터는 곱을 간단히 구하는 방법을 말해 볼 거야.

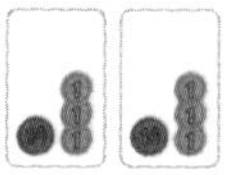

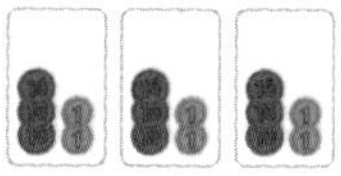

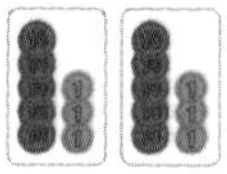

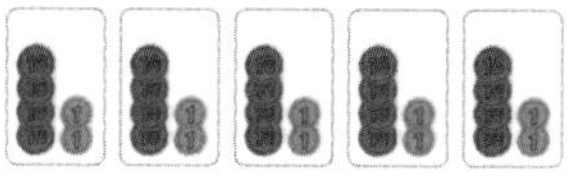

◆ 곱셈을 하세요.

(몇십)×(몇)의 계산은 (몇)×(몇)의 계산 결과에 0 하나만 붙이면 돼.

$\begin{cases} 3 \times 2 = \boxed{6} \\ 30 \times 2 = \boxed{60} \end{cases}$ 30을 2번 더해 봐.

$\begin{cases} 5 \times 3 = \boxed{15} \\ 50 \times 3 = \boxed{150} \end{cases}$

$\begin{cases} 2 \times 6 = \boxed{12} \\ 20 \times 6 = \boxed{120} \end{cases}$

$\begin{cases} 7 \times 8 = \boxed{56} \\ 70 \times 8 = \boxed{560} \end{cases}$

46
쪽
·
47
쪽

2일 올림 없는 (두 자리 수)×(한 자리 수) 자리별로 곱하기만 하면 쉬워.

월 일

◆ 빈칸에 알맞은 수를 써넣어 곱셈을 하세요.

$\begin{aligned} 12 \times 3 &= \boxed{36} \\ 10 \times 3 &= \boxed{30} \\ 2 \times 3 &= \boxed{6} \end{aligned}$

$\begin{aligned} 24 \times 2 &= \boxed{48} \\ 20 \times 2 &= \boxed{40} \\ 4 \times 2 &= \boxed{8} \end{aligned}$

$\begin{aligned} 21 \times 4 &= \boxed{84} \\ 20 \times 4 &= \boxed{80} \\ 1 \times 4 &= \boxed{4} \end{aligned}$

$\begin{aligned} 32 \times 3 &= \boxed{96} \\ 30 \times 3 &= \boxed{90} \\ 2 \times 3 &= \boxed{6} \end{aligned}$

◆ 세로셈으로 곱셈을 하세요

$\begin{array}{r} 3\ 1 \\ \times\quad 2 \\ \hline \boxed{2} \end{array} \Rightarrow \begin{array}{r} 3\ 1 \\ \times\quad 2 \\ \hline \boxed{6}\ 2 \end{array}$

일의 자리 수와의 곱은 일의 자리에, 십의 자리 수와의 곱은 십의 자리에 써.

$\begin{array}{r} 1\ 2 \\ \times\quad 4 \\ \hline 4\ 8 \end{array}$

$\begin{array}{r} 3\ 2 \\ \times\quad 2 \\ \hline 6\ 4 \end{array}$

$\begin{array}{r} 1\ 3 \\ \times\quad 3 \\ \hline 3\ 9 \end{array}$

$\begin{array}{r} 4\ 1 \\ \times\quad 2 \\ \hline 8\ 2 \end{array}$

$\begin{array}{r} 1\ 1 \\ \times\quad 7 \\ \hline 7\ 7 \end{array}$

$\begin{array}{r} 2\ 0 \\ \times\quad 4 \\ \hline 8\ 0 \end{array}$

◆ 가로셈으로 곱셈을 하세요.

$21 \times 3 = \boxed{6\ 3}$

$12 \times 4 = \boxed{4\ 8}$

$40 \times 2 = \boxed{80}$

$23 \times 3 = \boxed{69}$

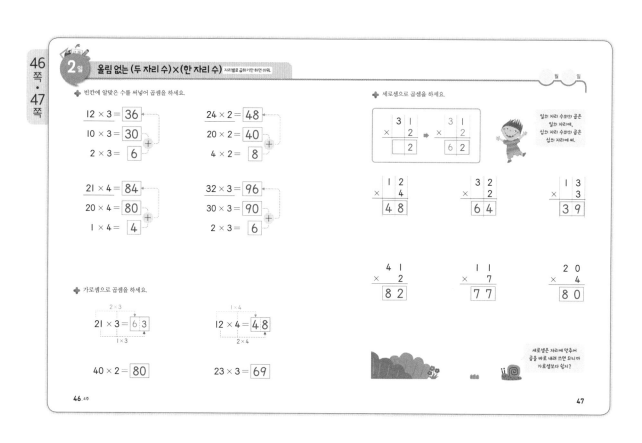

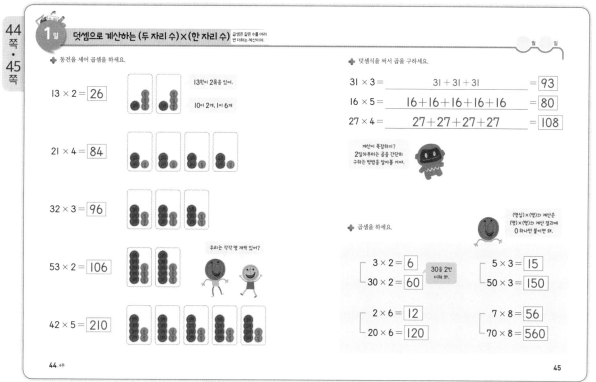

세로셈은 자리에 맞추어 곱을 바로 내려 쓰면 되니까 가로셈보다 쉽지?

3일 올림 1번 있는 (두 자리 수)×(한 자리 수) 올림한 수를 작게 써서 더해요.

월   일

✦ 십의 자리에서 올림이 1번 있는 곱셈을 하세요.

십의 자리에서 올림한 수는 백의 자리에 바로 써.

```
  3 2      3 2
×   4   ×   4
    8    1 2 8
```

```
  5 1       9 3       4 1
×   3     ×   2     ×   6
1 5 3     1 8 6     2 4 6
```

✦ 찢어진 종이를 찾아 선으로 잇고 곱을 쓰세요.

```
  8 1      3 6      1 4      5 2
×   6    ×   2    ×   7    ×   4
```

```
 72      208      486       98
```

어디가 잘못되었니?

```
  백 십 일      백 십 일
    1 4          5 1
×     5        ×   8
  5 2 0          4 8
```

✦ 일의 자리에서 올림이 1번 있는 곱셈을 하세요.

일의 자리에서 올림한 수는 십의 자리의 곱과 더해서 써.

```
    2        2
  1 7      1 7
×   3    ×   3
    1      5 1
```

```
  1          1          4
  1 2        3 7        1 8
×   8      ×   2      ×   5
  9 6        7 4        9 0
```

✦ 가로셈으로 곱셈을 하세요.

일의 자리에서 올림이 1 있어.

$62 \times 3 = 1\,8\,6$ $46 \times 2 = 9\,2$

$81 \times 7 = 5\,6\,7$ $29 \times 3 = 8\,7$

$15 \times 6 = 9\,0$ $74 \times 2 = 1\,4\,8$

4일 올림 2번 있는 (두 자리 수)×(한 자리 수) 올림한 수는 빠뜨리지 않고 꼭 더해요.

월   일

✦ 곱셈을 하세요.

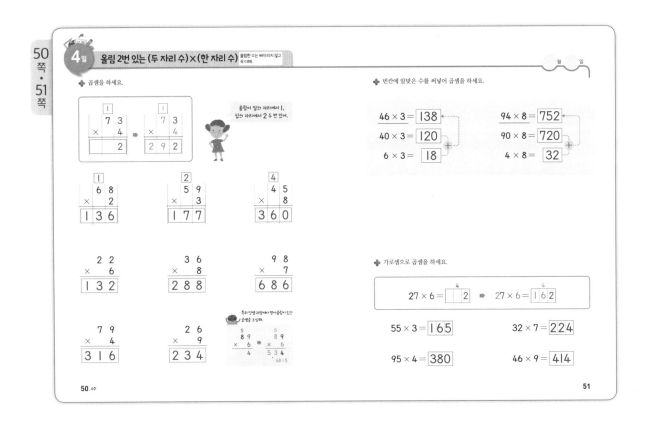

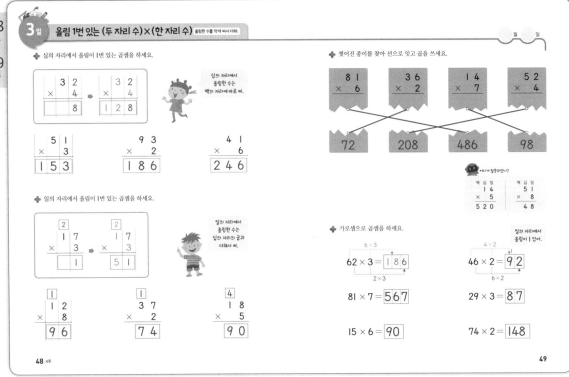

올림이 일의 자리에서 1, 십의 자리에서 2 두 번 있어.

```
    1          1
  7 3        7 3
×   4      ×   4
    2      2 9 2
```

```
    1          2          4
  6 8        5 9        4 5
×   2      ×   3      ×   8
1 3 6      1 7 7      3 6 0
```

```
  2 2        3 6        9 8
×   6      ×   8      ×   7
1 3 2      2 8 8      6 8 6
```

```
  7 9        2 6
×   4      ×   9
3 1 6      2 3 4
```

✦ 빈칸에 알맞은 수를 써넣어 곱셈을 하세요.

$46 \times 3 = 138$ $94 \times 8 = 752$
$40 \times 3 = 120$ $90 \times 8 = 720$
$6 \times 3 = 18$ $4 \times 8 = 32$

✦ 가로셈으로 곱셈을 하세요.

$27 \times 6 = \boxed{4} \ 2$ ➡ $27 \times 6 = 1\,6\,2$

$55 \times 3 = 1\,6\,5$ $32 \times 7 = 2\,2\,4$

$95 \times 4 = 3\,8\,0$ $46 \times 9 = 4\,1\,4$

52쪽 · 53쪽

5일 (두 자리 수)×(한 자리 수) 연습 암산으로 계산할 수 있을 정도로 연습해.

월 일

✚ 가로 열쇠와 세로 열쇠를 보고 빈칸에 알맞은 수를 쓰세요.

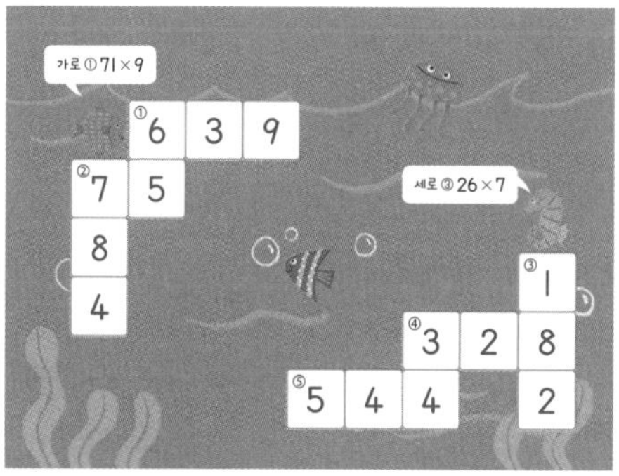

가로 열쇠
① 71 × 9
② 25 × 3
④ 82 × 4
⑤ 68 × 8

세로 열쇠
① 13 × 5
② 98 × 8
③ 26 × 7
④ 17 × 2

✚ □ 안의 곱셈 결과를 보고 관계있는 수에 색칠하세요.

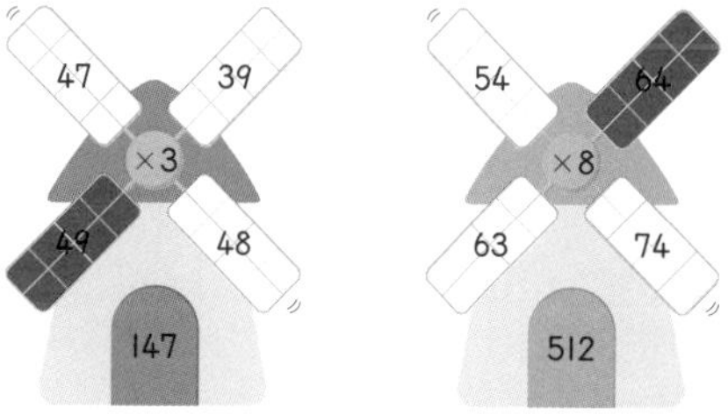

✚ □ 안에 알맞은 수를 쓰세요.

$$\begin{array}{r} 1\,\boxed{7} \\ \times\quad 4 \\ \hline 6\,8 \end{array} \qquad \begin{array}{r} \boxed{3}\,6 \\ \times\quad 9 \\ \hline 3\,2\,4 \end{array} \qquad \begin{array}{r} \boxed{9}\,7 \\ \times\quad \boxed{5} \\ \hline 4\,8\,5 \end{array}$$

54쪽

확인 학습

✚ 곱셈을 하세요.

2 × 4 = 8
20 × 4 = 80

8 × 5 = 40
80 × 5 = 400

✚ 곱셈을 하세요.

$$\begin{array}{r} 2\,9 \\ \times\quad 3 \\ \hline \boxed{8\,7} \end{array} \qquad \begin{array}{r} 9\,7 \\ \times\quad 5 \\ \hline \boxed{4\,8\,5} \end{array} \qquad \begin{array}{r} 3\,6 \\ \times\quad 6 \\ \hline \boxed{2\,1\,6} \end{array}$$

83 × 2 = 166   42 × 7 = 294

✚ □ 안에 알맞은 수를 쓰세요.

$$\begin{array}{r} \boxed{6}\,6 \\ \times\quad 8 \\ \hline 5\,2\,8 \end{array} \qquad \begin{array}{r} \boxed{7}\,9 \\ \times\quad \boxed{9} \\ \hline 7\,1\,1 \end{array}$$

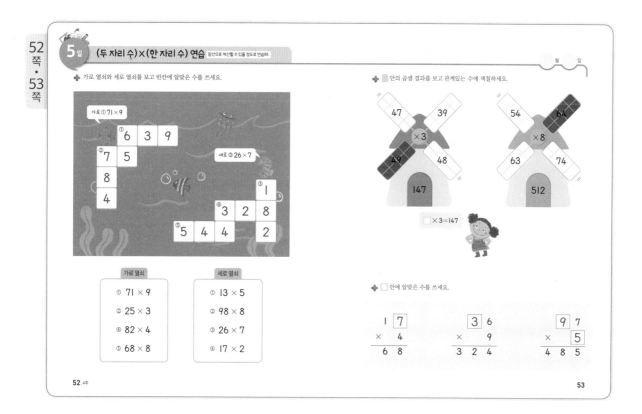

마무리 평가

56쪽 · 57쪽

1회 마무리 평가

제한 시간: 5분 | 맞은 개수: /9개

구슬을 똑같이 나누어 그리고 나눗셈의 몫을 구하세요.

❶
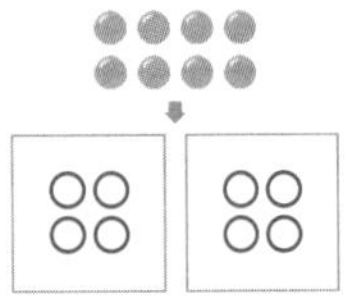

$8 \div 2 = 4$

❷
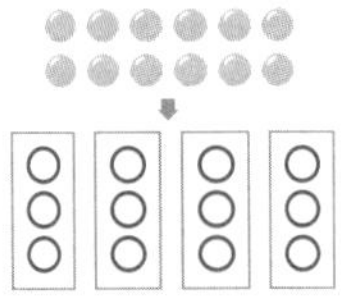

$12 \div 4 = 3$

올바른 나눗셈의 몫을 따라 길을 그리세요.

❸
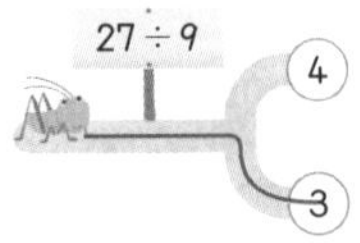

❹
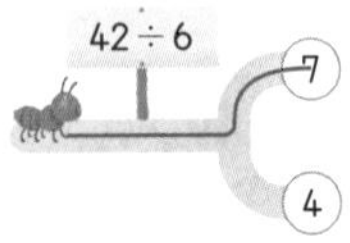

안의 수로 나누어떨어지는 수를 찾아 색칠하세요.

❺

❻

덧셈식을 써서 곱셈을 하세요.

❼ $24 \times 3 = 24 + 24 + 24 = 72$

곱셈을 하세요.

❽ $3 \times 2 = 6$, $30 \times 2 = 60$

❾ $5 \times 3 = 15$, $50 \times 3 = 150$

58쪽 · 59쪽

2회 마무리 평가

제한 시간: 5분 | 맞은 개수: /8개

과일을 똑같이 나누어 묶고 나눗셈의 몫을 구하세요.

❶
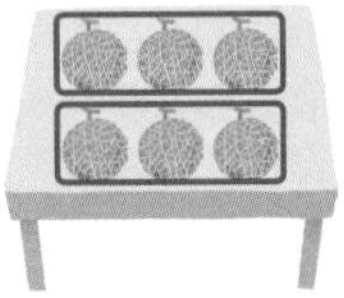

$6 \div 3 = 2$

❷

$18 \div 6 = 3$

안의 수가 몫이 되는 나눗셈식을 찾아 ○표 하세요.

❺
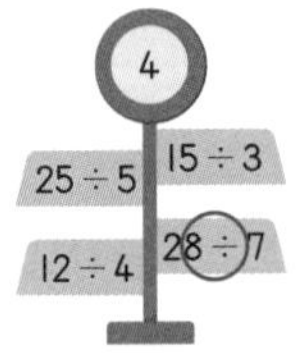

❻
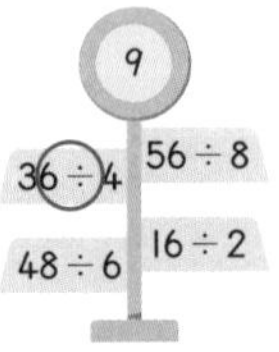

빈칸에 알맞은 수를 쓰세요.

❸
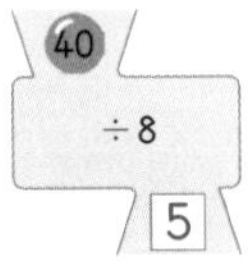

❹
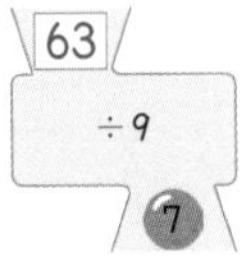

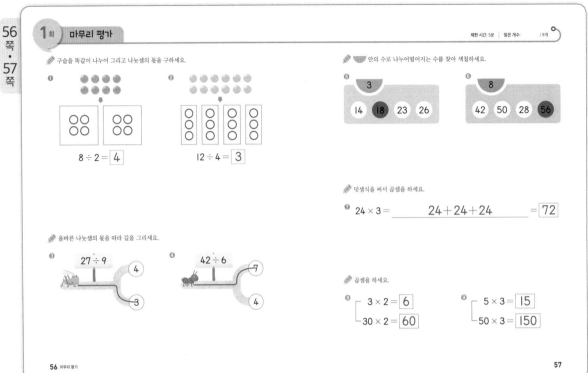

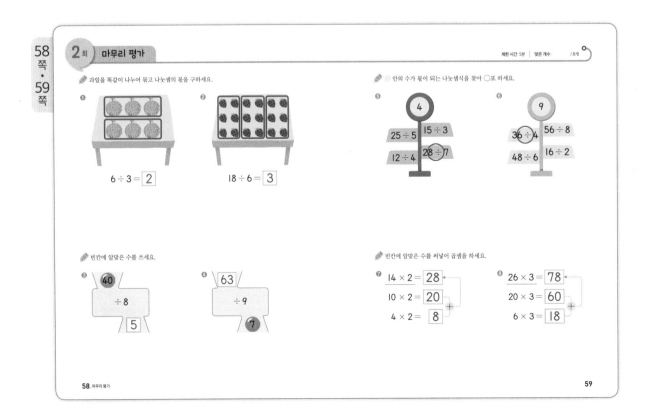

빈칸에 알맞은 수를 써넣어 곱셈을 하세요.

❼ $14 \times 2 = 28$, $10 \times 2 = 20$, $4 \times 2 = 8$

❽ $26 \times 3 = 78$, $20 \times 3 = 60$, $6 \times 3 = 18$

3회 마무리 평가

제한 시간: 5분 | 맞은 개수: /10개

✎ 뺄셈식을 나눗셈식으로 알맞게 바꾼 것에 ○표 하세요.

❶ 20−5−5−5−5=0

20÷5=3

(20÷5=4) ○

❷ 24−8−8−8=0

(24÷8=3) ○

24÷3=8

✎ 나눗셈식을 써서 ?의 길이를 구하세요.

❺

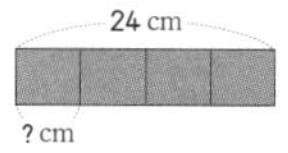

24 ÷ 4 = 6 (cm)

❻

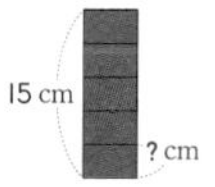

15 ÷ 5 = 3 (cm)

✎ 알맞은 나눗셈의 몫을 찾아 ○표 하세요.

❸

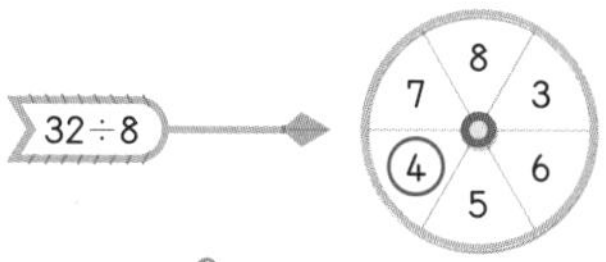

❹

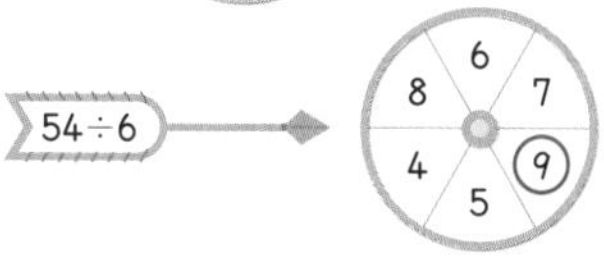

✎ 곱셈을 하세요.

❼ 81 × 7 = 567

❽ 36 × 3 = 108

❾ 23×4= 92

❿ 91×8= 728

4회 마무리 평가

제한 시간: 5분 | 맞은 개수: /10개

✎ 곱셈식을 2개의 나눗셈식으로, 나눗셈식을 2개의 곱셈식으로 나타내세요.

❶ 2 × 5 = 10

10 ÷ 2 = 5

10 ÷ 5 = 2

❷ 27 ÷ 9 = 3

9 × 3 = 27

3 × 9 = 27

✎ 각 줄에 있는 두 수의 곱이 ⌂ 안의 수가 되도록 빈 곳에 알맞은 수를 쓰세요.

❺

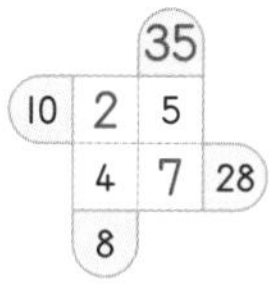

❻

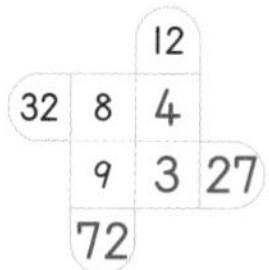

✎ 나눗셈에 맞게 길을 그리세요.

❸

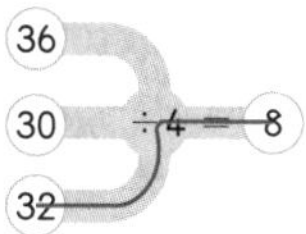

❹

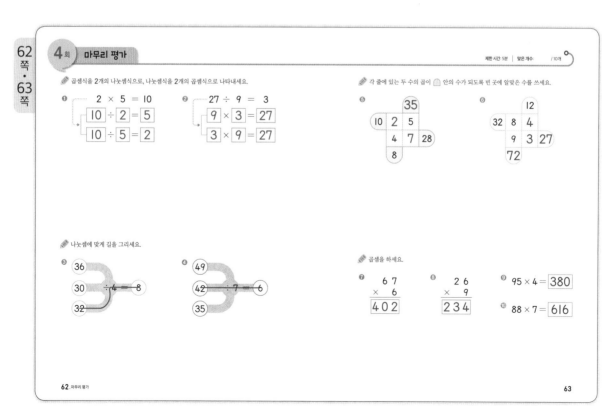

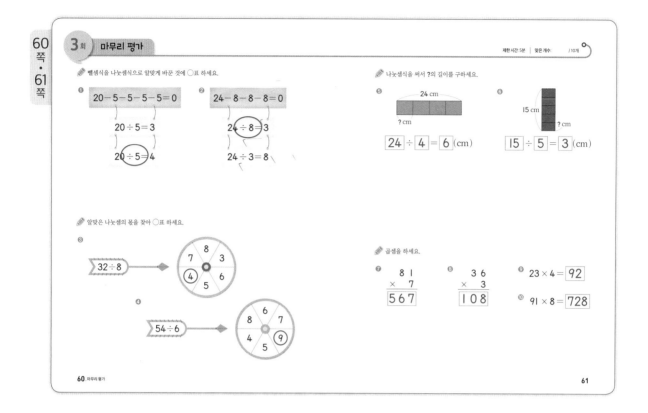

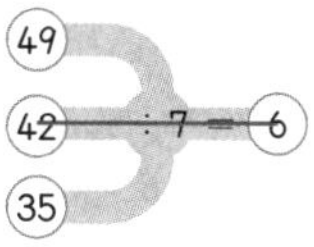

✎ 곱셈을 하세요.

❼ 67 × 6 = 402

❽ 26 × 9 = 234

❾ 95×4= 380

❿ 88×7= 616

5회 마무리 평가

제한 시간 5분 | 맞은 개수 /9개

✏️ 곱셈식을 이용하여 나눗셈의 몫을 구하세요.

❶
$2 \times \boxed{8} = 16$
$16 \div 2 = \boxed{8}$

❷
$6 \times \boxed{3} = 18$
$18 \div 6 = \boxed{3}$

✏️ 수 카드를 한 번씩 모두 사용하여 나눗셈식을 완성하세요.

❺
3 7 2
$\boxed{2}\ \boxed{7} \div 9 = \boxed{3}$

❻
6 1 4
$\boxed{1}\ \boxed{6} \div \boxed{4} = 4$

✏️ 관계있는 것끼리 선으로 이으세요.

❸
÷5

35 ─── 4
20 ─── 8
40 ─── 7

❹
÷7

63 ─── 5
28 ─── 9
35 ─── 4

✏️ ☐ 안에 알맞은 수를 쓰세요.

❼
$\begin{array}{r} 1\ \boxed{4} \\ \times\quad 6 \\ \hline 8\ 4 \end{array}$

❽
$\begin{array}{r} \boxed{6}\ 4 \\ \times\quad 7 \\ \hline 4\ \boxed{4}\ 8 \end{array}$

❾
$\begin{array}{r} \boxed{8}\ 9 \\ \times\quad \boxed{2} \\ \hline 1\ 7\ 8 \end{array}$

64 마무리 평가

65

실력 평가

칸토의 연산 초3 2권 실력 평가

❶ $12 \div 4 = 3$ ⑪ $5 \div 5 = 1$

❷ $49 \div 7 = 7$ ⑫ $32 \div 4 = 8$

❸ $30 \div 5 = 6$ ⑬ $45 \div 9 = 5$

❹ $8 \div 2 = 4$ ⑭ $18 \div 3 = 6$

❺ $72 \div 9 = 8$ ⑮ $42 \div 6 = 7$

❻ $12 \div 6 = 2$ ⑯ $32 \div 8 = 4$

❼ $20 \div 4 = 5$ ⑰ $24 \div 4 = 6$

❽ $14 \div 2 = 7$ ⑱ $63 \div 7 = 9$

❾ $27 \div 3 = 9$ ⑲ $30 \div 6 = 5$

⑩ $64 \div 8 = 8$ ⑳ $18 \div 9 = 2$

68 실력 평가

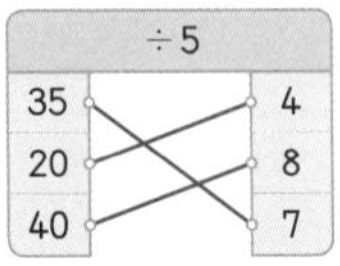

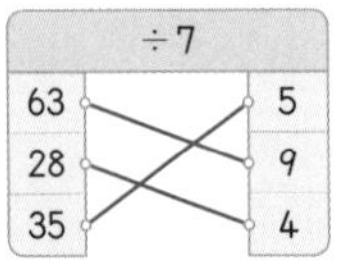

칸토의 연산

The essence of mathematics lies in its freedom.

수학의 본질은 그 자유로움에 있다.

Georg Cantor(1845~1918)

모 델 명: 칸토의 연산
제조년월: 2023년 7월 | **제조자명** : ㈜씨투엠에듀
주소 및 전화번호 : 경기도 수원시 장안구 파장로 7(태영빌딩 3층) / 031-548-1191
제조국명: 한국 | **사용연령** : 만 3세 이상

홈페이지 : www.c2medu.co.kr | **지원카페** : cafe.naver.com/fieldsm

상자를 열어 수학을 가져라!

초등수학교구상자

교과서 문제는 기본, 영재원 문제까지 완벽 해결

도형 뒤집기!
돌리기! 붙이기!

❶ 펜토미노 턴

쌓기나무와 소마큐브
집중탐구

❷ 큐브빌드

덧셈, 뺄셈에서
곱셈과 나눗셈까지!

❸ 머긴스빙고

아이들이 가장 어려워하는 초등 교과 단원을 수학교구로 재미있고 쉽게 조작하고 놀며 수학의 개념과 원리를 익힐 수 있어요.

입체조각을 뒤집고,
돌리며, 쌓아가며!

❹ 폴리스퀘어

연산 원리와
감각을 한 번에

❺ 트랜스넘버

전개도를
접었다 펼쳤다!

❻ 큐보이드

칠교 퍼즐의 변신
입체 칠교

❼ 폴리탄

씨투엠이 만들면 기준이 됩니다!